Les aventures
de Sherlock Holmes
Tome 2

Publié en 1892 sous le titre original de
The adventures of Sherlock Holmes
Traduit de l'anglais par Stéphanie Benson
© Éditions Milan, 2001,
pour le texte et l'illustration de la présente édition
ISBN : 2-7459-0253-9

Arthur Conan Doyle

Les aventures
de Sherlock Holmes
Tome 2

Nouvelle traduction
par Stéphanie Benson

MILAN POCHE

La Ligue des rouquins

Un jour de l'automne dernier, en rendant visite à mon ami, monsieur Sherlock Holmes, je le trouvai en pleine conversation avec un homme plutôt âgé, gros, au teint coloré et aux cheveux rouge feu. Je m'excusai de les avoir dérangés et m'apprêtais à repartir, mais Holmes me fit aussitôt entrer et referma la porte.

– Vous n'auriez pas pu mieux tomber, mon cher Watson, dit-il chaleureusement.

– J'ai peur que vous soyez occupé.

– Je le suis. Très occupé.

– Dans ce cas, je vais attendre à côté.

– Pas du tout. Monsieur Wilson, dit-il à son visiteur, le gentleman que voici a été mon partenaire et assistant dans la plupart de mes enquêtes réussies. Je suis sûr que son aide sera également précieuse dans votre affaire.

Le gros homme se leva à moitié de sa chaise, et s'inclina rapidement. En même temps, il jeta sur moi un regard interrogateur, et je remarquai que ses yeux étaient petits et entourés de graisse.

– Asseyez-vous sur le canapé, me dit Holmes.

Il s'installa dans son fauteuil et réunit le bout de ses doigts, signe chez lui d'une intense réflexion.

– Je sais, mon cher Watson, poursuivit-il, que vous partagez mon amour pour tout ce qui est étrange et qui sort de la routine. La preuve en est l'enthousiasme avec lequel vous avez raconté et, pardonnez-moi de le dire, quelque peu embelli tant de mes petites aventures.

– Vos enquêtes m'ont effectivement beaucoup intéressé, acquiesçai-je.

– Vous vous rappelez de la remarque que j'ai faite l'autre jour, juste avant de m'intéresser à l'affaire très simple que miss Mary Sutherland m'a présentée. J'ai dit que ceux qui aiment l'étrange et l'extraordinaire doivent les chercher dans la vie ; elle est toujours plus surprenante que l'imagination la plus débridée.

– Et j'ai eu du mal à vous croire.

—En effet, docteur. Mais vous devez reconnaître que j'ai raison. Sinon, je continuerai de vous asséner fait sur fait jusqu'à ce que vos arguments s'effondrent et que vous admettiez avoir eu tort. Monsieur Jabez Wilson, ici présent, a eu la gentillesse de me rendre visite ce matin. Il a commencé un récit qui promet d'être l'un des plus singuliers que j'aie écouté depuis longtemps. Vous m'avez souvent entendu dire que les affaires les plus étranges et particulières sont plus souvent des histoires de petits délits que de grands crimes. Parfois, même, on peut douter qu'il y ait eu crime. D'après ce que j'ai entendu, il m'est impossible de dire si l'affaire en cours est un crime ou pas. Cependant, ce récit demeure parmi les plus extraordinaires qu'il m'ait été donné d'entendre. Monsieur Wilson, auriez-vous la gentillesse de recommencer ? Je ne vous le demande pas uniquement parce que mon ami, le docteur Watson, n'a pas entendu le début ; mais aussi parce que la nature singulière de votre affaire me pousse à vouloir apprendre le plus de détails possibles de votre bouche. En général, quand j'ai en main l'orientation générale des événements, je peux prendre des repères parmi les milliers de cas similaires qui me reviennent en mémoire. Dans le cas qui nous concerne, cependant, je dois admettre que les faits sont, à mon avis, uniques.

Le client bien-portant se gonfla d'orgueil et sortit de la poche intérieure de son manteau un vieux journal froissé. La tête en avant, le journal à plat sur ses genoux, il se mit à parcourir les petites annonces. J'en profitai pour regarder le bonhomme et tenter, selon la technique de mon compagnon, de lire les indices révélés par son apparence.

Je n'appris pas grand-chose. Notre visiteur semblait être un commerçant quelconque, un citoyen britannique, banal, obèse et lent. Il portait un pantalon large à carreaux gris, une veste noire déboutonnée et pas très propre. Sur son gilet terne, brillait une lourde chaîne de cuivre à laquelle pendait un carré de métal. Sur la chaise à côté de lui, il avait posé un haut-de-forme râpé, et un manteau marron plus très jeune, dont le col semblait être en velours. Je ne lui trouvai rien de particulier, sauf sa tignasse rousse et son expression de grand mécontentement et de chagrin.

L'œil alerte de Sherlock Holmes remarqua mon manège, et il secoua la tête en voyant mon regard interrogateur.

–À part le fait que cet homme a travaillé de ses mains, qu'il prise du tabac, qu'il est franc-maçon, qu'il est allé en Chine et qu'il a beaucoup écrit très récemment, je ne peux rien en tirer.

Monsieur Jabez Wilson sursauta, l'index posé sur le journal. Il regarda mon compagnon.

–Comment, au nom du ciel, savez-vous tout ça, monsieur Holmes? demanda-t-il. Comment savez-vous, par exemple, que j'ai exercé un métier manuel? C'est la vérité pure, j'ai commencé comme charpentier naval.

–Vos mains, cher monsieur. Votre main droite est plus grande que la gauche. Vous l'avez beaucoup fait travailler, et les muscles se sont développés.

–Et le tabac à priser? Et les francs-maçons?

–Je ne vais pas insulter votre intelligence en vous expliquant comment je l'ai su, surtout que le règlement de votre confrérie vous interdit de porter une épingle de gilet avec l'arc et le compas gravés dessus.

–Ah oui! J'avais oublié. Mais l'écriture?

–Le poignet droit de votre chemise est brillant et usé sur dix centimètres, et votre coude gauche est élimé là où vous le frottez sur le bureau.

–Très bien, mais la Chine?

–Le tatouage de poisson sur votre poignet droit n'a pu être fait qu'en Chine. J'ai mené quelques recherches sur le sujet, j'ai même écrit un essai là-dessus. Le fait de teindre les écailles de poisson en rose est particulier à la Chine. De plus, une pièce chinoise est accrochée à votre chaîne de montre, donc c'est doublement évident.

Monsieur Jabez Wilson éclata de rire.

–Eh bien, ma foi ! s'étonna-t-il. Je croyais au départ que vous aviez un truc incroyable, mais je vois qu'en réalité ce n'est rien du tout.

–Je commence à croire, Watson, dit Holmes, que j'ai tort d'expliquer. *Omne ignotum pro magnifico*, vous savez – tout ce qui est ignoré est pris pour magnifique. Ma pauvre petite réputation sera ruinée si je continue de me montrer aussi naïf. Vous ne trouvez pas l'annonce, monsieur Wilson ?

–Si, la voilà, répondit-il, son gros doigt rouge pointé au milieu de la colonne. C'est ce qui a tout déclenché. Lisez-la vous-même, monsieur.

Je pris le journal et lus : « LA LIGUE DES ROUQUINS. Selon les dernières volontés du regretté Ezekiah Hopkins, de Lebanon, Penn., USA, un nouveau poste s'est libéré pour permettre à un membre de la

Ligue de bénéficier d'un salaire de quatre livres* par semaine en échange de quelques menus services. Tout homme aux cheveux roux, sain de corps et d'esprit, ayant au moins vingt et un ans, peut être candidat. Se présenter lundi à onze heures aux bureaux de la Ligue, 7 Pope's Court, Fleet Street et demander Duncan Ross.»

– Que diable cela veut-il dire? m'écriai-je après avoir lu cette annonce extraordinaire deux fois de suite.

Holmes s'esclaffa et se tortilla sur son séant, montrant ainsi sa bonne humeur.

– C'est plutôt étrange, n'est-ce pas? dit-il. Maintenant, monsieur Wilson, voulez-vous recommencer à zéro? Racontez-nous tout sur vous-même, votre maison, et les répercussions que cette annonce a eues sur votre vie. Notez tout d'abord, docteur, le titre du journal et la date.

– Il s'agit du *Morning Chronicle*, daté du 27 avril 1890. Il y a juste deux mois.

– Très bien. À vous, monsieur Wilson.

– Eh bien, c'est comme je vous le disais, monsieur Sherlock Holmes, dit Jabez Wilson en s'essuyant le

---

* Les mots ou groupes de mots suivis d'un astérisque sont expliqués dans le lexique en fin de volume.

front. Je suis prêteur sur gages* à Coburg Square, dans le centre de Londres. Ce n'est pas une affaire importante. Depuis quelques années je gagne péniblement de quoi vivre. Avant j'avais deux employés, mais aujourd'hui je n'en ai plus qu'un, et même que j'ai d'ailleurs bien du mal à le rémunérer. Heureusement, il accepte de venir travailler pour la moitié du salaire habituel afin d'apprendre le métier.

– Comment s'appelle ce jeune homme si généreux? interrogea Sherlock Holmes.

– Il s'appelle Vincent Spaulding, et il n'est plus tout jeune. Il est difficile de lui donner un âge. Je ne pouvais pas rêver d'un employé plus compétent, monsieur Holmes. Je sais très bien qu'il pourrait trouver mieux et gagner deux fois ce que je peux lui donner. Mais après tout, s'il est content comme ça, pourquoi irais-je lui donner de mauvaises idées?

– Pourquoi, en effet? Vous avez la chance d'avoir trouvé un employé qui travaille pour la moitié du salaire habituel. Ce n'est pas courant à notre époque. Je ne sais pas si votre assistant n'est pas aussi étonnant que cette annonce.

– Oh, il a ses défauts aussi, dit monsieur Wilson. Je n'ai jamais rencontré un tel passionné de photographie.

Toujours un appareil photo à la main alors qu'il ferait mieux de s'instruire. Il descend très souvent à la cave, comme un lapin dans son terrier pour aller développer ses images. C'est son défaut majeur, mais en général, il travaille bien. Il est très honnête.

– Il travaille toujours pour vous, j'imagine ?

– Oui, monsieur. Lui et une jeune fille de quatorze ans qui fait un peu de cuisine et qui nettoie la maison. C'est là tout mon personnel, étant donné que je suis veuf sans enfants. On vit très tranquillement, tous les trois. On maintient le toit au-dessus de notre tête et on paye nos dettes, même si on ne fait guère plus.

« La première chose qui nous est arrivée, c'est l'annonce. Spaulding est descendu dans le bureau il y a huit semaines exactement. Il tenait ce journal, et il m'a dit :

« – Quel malheur que je n'aie pas les cheveux roux, monsieur Wilson !

« – Pourquoi donc ? je lui ai demandé.

« – Parce qu'il y a un nouveau poste libre à la Ligue des rouquins, dit-il. Ça vaut une petite fortune pour celui qui l'obtient. Si j'ai bien compris, il y a plus de postes que de candidats, et les administrateurs ont un mal fou à distribuer l'argent. Si mes cheveux voulaient seulement changer de couleur, j'aurais une belle petite planque toute prête.

« – C'est quoi, cette histoire ? ai-je demandé.

« Voyez-vous, monsieur Holmes, je suis assez casanier. Le travail vient à moi, plutôt que le contraire. Je peux passer des semaines entières sans franchir le seuil de ma maison. C'est pourquoi je ne sais pas trop ce qui se passe dans le monde, mais je suis toujours ravi d'avoir des nouvelles.

« – Vous n'avez jamais entendu parler de la Ligue des rouquins ? m'a-t-il demandé, les yeux écarquillés.

« – Jamais.

« – C'est étonnant. Vous pourriez vous-même être candidat à l'un des postes.

« – Et ça vaut quoi ? ai-je demandé.

« – Oh, juste deux cents livres par an. Mais le travail est minime et n'empêche pas un homme de continuer ses autres activités.

« Vous pouvez facilement imaginer que j'ai ouvert grand mes oreilles. Les affaires n'ont pas été sensationnelles ces dernières années, et deux cents livres de plus m'auraient bien arrangé.

« – Expliquez-moi ça, ai-je dit.

« Il m'a montré l'annonce.

« – Voyez vous-même. La Ligue a un nouveau poste libre, et voici l'adresse où il faut se présenter. D'après ce que je sais, la Ligue a été fondée par un millionnaire américain, Ezekiah Hopkins, un original. Il avait lui-même les cheveux roux, et il éprouvait une grande sympathie pour tous les rouquins. À sa mort, on a découvert qu'il avait laissé son immense fortune à un groupe d'administrateurs qui avaient pour instructions d'apporter une aide financière aux hommes aux cheveux roux. D'après ce que j'ai compris, c'est très bien payé et il n'y a pas grand-chose à faire.

« – Mais il doit y avoir des millions de rouquins qui se présentent, ai-je dit.

« – Pas autant qu'on pourrait le croire, a-t-il répondu. En fait, ça se limite aux Londoniens et aux adultes. Cet Américain a débuté dans la vie à Londres, et il a voulu récompenser cette bonne vieille ville. J'ai aussi entendu dire que ce n'est pas la peine de se présenter si on a les cheveux roux clair ou roux foncé ou toute autre nuance en dehors d'un roux prononcé, un rouge feu. Si vous vous présentiez, monsieur Wilson, ce serait du tout cuit pour vous. Mais ça ne vous intéresse peut-être pas de vous donner cette peine pour quelques centaines de livres.

« C'est un fait, messieurs, comme vous pouvez le constater, que mes cheveux sont rouge feu. Il me semblait que si c'était l'une des conditions, j'avais plus de chances d'obtenir le poste que tous les rouquins que j'ai pu rencontrer. Vincent Spaulding semblait être si bien informé que je me suis dit qu'il pourrait m'aider. Aussi, je lui ai dit de fermer la boutique pour la journée et de venir avec moi. Il était très content d'avoir un jour de congé. On a bouclé le magasin, et nous voilà partis pour l'adresse indiquée.

« J'espère ne plus jamais voir une telle chose, monsieur Holmes. Venant du nord, du sud, de l'est et de l'ouest, tous les hommes dont les cheveux comptaient le plus petit poil roux se dirigeaient vers le centre-ville pour répondre à l'annonce. Fleet Street était pleine à craquer de rouquins. Pope's Court ressemblait à un étal d'oranges. Je n'aurais pas cru qu'il y avait autant de rouquins dans le pays. Tous ces hommes rassemblés par cette petite annonce ! Il y avait toutes les nuances de roux : paille, carotte, orange, brique, setter irlandais, rouge-brun, argile… mais comme le disait Spaulding, très peu de cheveux vraiment rouge feu. Quand j'ai vu la file d'attente, j'ai eu envie de renoncer. Spaulding ne voulait rien entendre. Il s'est frayé un chemin dans la foule je ne sais pas comment, et m'a entraîné jusqu'aux marches devant le bureau. Il y avait une circulation à double sens dans l'escalier : certains montaient pleins d'espoir, d'autres redescendaient déçus. Nous avons pris place dans le mouvement, et nous nous sommes bientôt retrouvés dans le bureau.

– Votre aventure est très amusante, remarqua Holmes, alors que son client reniflait une grande pincée de tabac à priser. S'il vous plaît, poursuivez le récit.

– Dans le bureau il n'y avait que deux chaises et une table de jeu* derrière laquelle était installé un petit homme aux cheveux encore plus rouges que les miens. Il disait quelques mots à chaque candidat, et lui trouvait un défaut qui le disqualifiait. Il ne semblait pas du tout facile d'obtenir le poste. Cependant, quand notre tour est venu, le petit homme était bien plus accueillant envers moi qu'envers tous les autres. Il a refermé la porte derrière nous, afin de nous parler en privé.

« – Voici monsieur Jabez Wilson, a dit mon employé. Il voudrait poser sa candidature pour le poste dans la Ligue.

« – Il a toutes les qualités requises, a répondu l'autre. Je ne me souviens pas de la dernière fois où j'en ai vu de si beaux.

«Il a fait un pas en arrière, la tête sur le côté, et a contemplé mes cheveux. J'étais assez embarrassé. Puis il s'est jeté sur moi, et m'a serré la main pour me féliciter de mon succès.

«– La moindre hésitation serait injuste, a-t-il dit. Pardonnez-moi, cependant, si je prends une dernière précaution.

«Et, en disant cela, il a agrippé mes cheveux de ses deux mains et a tiré si fort que j'ai crié de douleur.

«– Vous avez les larmes aux yeux, a-t-il constaté en me relâchant. Je vois que tout est en ordre. Mais nous devons faire attention : nous avons été abusés deux fois par des perruques, et une fois par une teinture. Je pourrais vous raconter des histoires de cirage à vous dégoûter de la nature humaine.

«Il s'est approché de la fenêtre et a crié très fort que le poste n'était plus à pourvoir. Un grognement déçu s'est élevé de la foule qui s'est rapidement dispersée. Bientôt, il n'y avait plus un rouquin en vue, à part l'administrateur et moi.

«– Je m'appelle Duncan Ross, a-t-il dit. Je suis l'un des bénéficiaires de la fortune laissée par notre regretté bienfaiteur. Êtes-vous marié, monsieur Wilson ? Avez-vous une famille ?

« J'ai répondu que non. Son visage s'est immédiatement assombri.

« – Quel dommage ! a-t-il dit d'une voix tendue. C'est très embêtant, ça. Je suis désolé de vous l'entendre dire. La fondation a été évidemment créée aussi bien pour la promotion des roux que pour leur défense. Il est bien triste que vous soyez célibataire.

« J'ai commencé à me dire qu'après tout je n'aurais pas le poste. Mais il a réfléchi quelques minutes avant de décider que cela irait.

« – S'il s'était agi d'un autre, a-t-il ajouté, cette objection aurait pu se révéler rédhibitoire. Mais nous devons nous montrer magnanimes envers un homme avec des cheveux comme les vôtres. Quand pouvez-vous commencer votre nouveau travail ?

« – Eh bien, c'est un peu compliqué, ai-je dit. J'ai déjà ma propre affaire.

« – Ne vous inquiétez pas pour ça, monsieur Wilson, m'a dit Spaulding. Je pourrai m'en occuper en votre absence.

« – Quels sont les horaires ? ai-je demandé.

« – De dix heures à quatorze heures.

« Le prêt sur gages, ça marche surtout le soir, monsieur Holmes. Essentiellement le jeudi et le vendredi soir, juste avant la paye. Ça m'allait très bien de gagner un peu d'argent le matin. De plus, je savais que mon assistant était compétent et qu'il pouvait répondre à tout imprévu.

«–Ça sera parfait, ai-je dit. Et le salaire?

«–Quatre livres par semaine.

«–Et le travail?

«–Purement symbolique.

«–Qu'est-ce que vous entendez par purement symbolique?

«–Eh bien vous devez rester tout le temps dans le bureau ou au moins dans l'immeuble. Le testament est très clair sur ce point. Vous ne remplirez plus les conditions d'embauche si vous quittez le bureau pendant les heures de travail.

«–Ce n'est que quatre heures par jour, il ne me viendrait pas à l'idée de m'absenter, ai-je dit.

«–Aucune excuse n'est valable, a insisté monsieur Duncan Ross. Ni maladie, ni les affaires, ni rien. Il faut y rester, ou alors vous renoncez au poste.

«–Et le travail?

«–Il s'agit de recopier l'*Encyclopaedia britannica*. Le premier volume est là, sur le pupitre. Vous devez fournir votre propre encre, plumes et buvard, mais nous mettons à disposition cette table et cette chaise. Pou-vez-vous commencer demain?

« – Bien sûr, j'ai répondu.

« – Dans ce cas, au revoir, monsieur Jabez Wilson. Permettez-moi de vous féliciter une nouvelle fois pour le poste important que vous avez eu la chance de décrocher.

« Il m'a accompagné jusqu'à la porte, et je suis ren-tré avec mon assistant, ne sachant quoi dire ni quoi faire, tellement j'étais heureux de ma bonne fortune.

« J'y ai réfléchi toute la journée. Le soir venu, j'avais de nouveau le moral à zéro. Je m'étais persuadé que toute l'affaire devait être une gigantesque plaisanterie ou une escroquerie. Seulement, je n'en voyais pas le but. Il me semblait complètement incroyable qu'un homme puisse faire un testament pareil ou payer une telle somme pour un travail aussi inutile que recopier l'*Encyclopaedia britannica*. Vincent Spaulding a fait de son mieux pour me remonter le moral, mais à l'heure du coucher, j'avais décidé de laisser tomber. Et pourtant, le lendemain matin, j'étais déterminé à aller voir. J'ai acheté une bouteille d'encre à un penny avec une plume et sept feuilles de papier grand format, et je me suis mis en route pour Pope's Court.

«À ma grande surprise et satisfaction, tout était parfait. La table m'attendait, prête, et monsieur Duncan Ross était là pour vérifier mes débuts. Il m'a mis au travail avec la lettre A, puis il m'a quitté. Il revenait de temps en temps pour vérifier que tout allait bien. À deux heures, il m'a souhaité bonne journée, m'a complimenté sur la quantité de travail fourni, et a fermé le bureau derrière moi.

«La même chose s'est produite le lendemain et ainsi de suite, monsieur Holmes. Le samedi suivant, l'administrateur a posé quatre souverains d'or en guise de salaire hebdomadaire. Ça s'est reproduit la semaine suivante, puis encore celle d'après. Tous les matins, j'arrivais à dix heures, et je partais chaque après-midi, à deux heures. Le temps passant, monsieur Duncan Ross venait de moins en moins; une fois au cours de la matinée, puis plus du tout. Mais je n'osais toujours pas quitter le bureau, même pendant un court instant. Je ne savais jamais quand il allait venir, et le poste était intéressant et m'arrangeait tellement que je n'allais pas prendre le risque de le perdre.

«Huit semaines ont passé de cette manière, et j'avais écrit sur les abbés, les archers, l'architecture, les armures, et Athènes, et j'espérais sincèrement bientôt arriver au B. Ça m'a coûté cher en papier grand format, et j'avais presque rempli une étagère avec mon manuscrit. Puis, soudain, tout s'est arrêté.

—Arrêté?

—Oui, monsieur. Pas plus tard que ce matin. Je me suis rendu au travail comme d'habitude à dix heures, mais la porte était fermée à clef, et un petit carton était cloué dessus. Le voici, vous pourrez le lire vous-même.

Il brandit un morceau de carton blanc de la taille d'un bloc-notes. Il y avait marqué dessus: «LA LIGUE DES ROUQUINS EST DISSOUTE. Le 9 oct. 1890.»

Sherlock Holmes et moi regardâmes cette courte annonce et le visage attristé de notre visiteur. Le côté comique de l'affaire nous frappa en même temps, et nous éclatâmes de rire.

—Je ne vois pas ce qu'il y a de drôle, s'écria notre client en devenant tout rouge. Si vous ne pouvez rien faire d'autre que vous moquer de moi, j'irai voir ailleurs.

—Non, non, dit Holmes en le poussant sur la chaise d'où il s'était levé. Je ne manquerais votre affaire pour rien au monde. C'est tellement inattendu et rafraîchissant! Mais il y a, pardonnez-moi, un côté très drôle à tout ça. Qu'avez-vous fait en trouvant le carton sur la porte?

–J'étais désespéré, monsieur. Je ne savais pas quoi faire. J'ai fait le tour des bureaux voisins, mais personne ne semblait être au courant. Pour finir, je suis allé voir le propriétaire: un comptable qui vit au rez-de-chaussée. Je lui ai demandé s'il pouvait me dire ce qu'était devenue la Ligue des rouquins. Il a affirmé n'en avoir jamais entendu parler. Je lui ai demandé qui était Duncan Ross. Il m'a dit que le nom ne lui disait rien.

«–Si, ai-je insisté. Le gentleman du numéro 4.

«–Quoi, le rouquin?

«–Oui.

«–Eh bien, a-t-il dit, il s'appelle William Morris. C'est un notaire qui utilise cette pièce comme bureau temporaire pendant les travaux d'aménagement de son nouveau local professionnel. Il est parti hier.

«–Où pourrai-je le trouver?

«–À son nouveau bureau.

«Il m'a donné l'adresse. C'est le numéro 17, King Edward Street, près de la cathédrale de Saint-Paul.

«Je me suis aussitôt précipité sur les lieux, monsieur Holmes, pour y trouver une fabrique de ménisques artificiels. Personne là-bas n'a jamais entendu parler ni de William Morris, ni de Duncan Ross.

– Qu'avez-vous fait ensuite ? demanda Holmes.

– Je suis allé à Saxe-Coburg Square pour demander l'avis de mon assistant. Mais il a été incapable de m'aider. Il m'a simplement dit d'attendre et que je recevrais une explication par la poste. Mais ce n'est pas assez, monsieur Holmes. Je ne veux pas renoncer à un tel travail sans me battre. Alors, comme j'ai entendu dire que vous étiez de bon conseil pour de pauvres bougres qui en avaient besoin, je suis venu directement ici.

– Vous avez bien fait, dit Holmes. Votre affaire est en tous points remarquable ; je serai heureux de mener une enquête. D'après ce que vous m'avez raconté, je pense qu'elle est vraisemblablement la pointe de l'iceberg, et qu'une affaire bien plus grave se cache derrière.

– Bien grave, en effet, dit M. Jabez Wilson. J'ai perdu quatre livres par semaine !

– D'un point de vue strictement personnel, fit remarquer Holmes, je ne crois pas que vous ayez à vous plaindre de cette ligue extraordinaire. Au contraire. Si j'ai bien compris, vous êtes plus riche d'une trentaine de livres. Sans parler des connaissances acquises sur des sujets divers commençant par la lettre A. Vous n'avez rien perdu.

–Non. Mais je voudrais savoir qui ils sont et quel était leur but en montant cette farce –si c'en est une –à mes dépens. C'est une farce coûteuse pour eux : trente-deux livres dépensées.

–Nous tâcherons d'éclaircir ces points pour vous. Mais d'abord, j'aimerais vous poser quelques questions, monsieur Wilson. Cet assistant qui le premier a attiré votre attention sur l'annonce, il était avec vous depuis combien de temps ?

–À l'époque, depuis un mois.

–Comment l'avez-vous trouvé ?

–Il a répondu à une petite annonce.

–Était-il le seul à s'être présenté ?

–Non, j'ai reçu une douzaine de réponses.

–Pourquoi l'avoir choisi ?

–Parce qu'il était disponible, et ne me coûtait pas cher.

–Moitié d'un salaire normal, en fait.

–Oui.

–Il est comment, ce Vincent Spaulding ?

–Petit, rond, très alerte et rapide bien qu'il n'ait pas loin de trente ans. Il a une tache d'acide sur le front.

Holmes se redressa dans son siège, l'air très excité.

– Je m'en doutais, dit-il. Avez-vous remarqué qu'il a les oreilles percées ?

– Oui, en effet. Il m'a dit qu'un Gitan lui avait percé les oreilles quand il était gamin.

– Ah bon ! dit Holmes pensivement en se laissant retomber dans son siège. Il travaille toujours pour vous ?

– Oui. Je viens de le quitter.

– Et le magasin a bien marché pendant votre absence ?

– Je n'ai pas eu à me plaindre. Mais on n'a jamais grand-chose à faire le matin.

– Cela suffira, monsieur Wilson. Je serai heureux de vous rendre compte de mes conclusions d'ici un jour ou deux. Nous sommes samedi. J'espère que d'ici lundi nous aurons des résultats.

– Eh bien, Watson, dit Holmes, une fois notre visiteur reparti. Qu'est-ce que vous pensez de tout cela ?

– Je n'en pense rien du tout, répondis-je honnêtement. C'est une affaire des plus mystérieuses.

– En général, dit Holmes, plus une affaire semble étrange, moins elle l'est. Ce sont les crimes banals et quotidiens qui sont les plus incompréhensibles. Tout comme un visage banal est plus difficile à identifier. Mais dans cette affaire je vais devoir me montrer rapide.

– Qu'allez-vous faire? demandai-je.

– Fumer, répondit-il. C'est un problème à trois pipes, et je vous demande d'éviter de m'adresser la parole pendant cinquante minutes.

Il s'installa dans son fauteuil, les genoux ramenés sous son menton pointu. Il resta ainsi, les yeux fermés, sa pipe d'argile noire tendue comme le bec d'un oiseau étrange. Je commençais à me dire qu'il s'était endormi, et j'étais sur le point de m'assoupir moi aussi. Soudain, il bondit sur ses pieds avec l'air d'un homme qui vient de prendre une décision. Il posa sa pipe sur la cheminée.

– Sarasate* joue au Saint James' Hall cet après-midi, annonça-t-il. Qu'en dites-vous, Watson? Vos patients pourront-ils se passer de vous quelques heures?

– Je n'ai rien à faire aujourd'hui. Ma clientèle n'est jamais très exigeante.

– Alors prenez votre chapeau et suivez-moi. Je dois passer au centre-ville d'abord, nous pourrons déjeuner en route. Je vois qu'il y a beaucoup de musique allemande au programme, ce qui est plus à mon goût que la musique française ou italienne. Elle est plus introspective, et j'ai besoin d'introspection. En route !

Nous prîmes le métro jusqu'à Aldersgate. Après quelques minutes de marche, nous nous retrouvâmes à Saxe-Coburg Square, le quartier où s'était déroulée l'histoire singulière qui nous avait été contée ce matin. L'endroit était encombré et sinistre. Quatre rangées de maisons en brique à deux étages donnaient sur un petit square fermé par une grille en fer. Une pelouse pleine de mauvaises herbes et quelques lauriers fanés luttaient comme ils pouvaient contre l'atmosphère enfumée et hostile. Une pancarte peinte en lettres blanches entourée de trois boules dorées affichait le nom de Jabez Wilson. L'angle était donc l'endroit où notre client rouquin tenait son magasin. Sherlock Holmes s'arrêta devant. La tête penchée sur le côté, il observa tout le bâtiment. Ses yeux brillaient derrière ses paupières plissées. Puis il remonta lentement la rue, fit demi-tour et revint en étudiant ainsi chaque maison. Pour finir, il se posta devant chez le prêteur sur gages et frappa le trottoir avec sa canne. Puis il s'approcha de la porte et toqua. Aussitôt, un jeune homme alerte et rasé de près vint ouvrir et le pria d'entrer.

– Non merci, dit Holmes. Je voulais juste vous demander comment me rendre d'ici au Strand.

– Troisième sur la droite, quatrième sur la gauche, répondit vivement l'assistant avant de refermer la porte.

– Il est malin, cet homme, affirma Holmes alors qu'on s'éloignait. C'est à mon avis le quatrième parmi les plus malins de Londres. En ce qui concerne le culot, je dirais peut-être même le troisième. Je le connais de réputation.

– De toute évidence, l'assistant de monsieur Wilson est pour beaucoup dans ce mystère de la Ligue des rouquins, dis-je. Je suis sûr que vous avez demandé votre chemin dans le seul but de le voir.

– Pas lui.

– Alors quoi?

– Les genoux de son pantalon.

– Et qu'avez-vous vu?

– Exactement ce à quoi je m'attendais.

– Pourquoi avoir frappé le trottoir?

– Mon cher docteur, nous sommes dans la phase de l'observation, pas du bavardage. Nous sommes des espions en territoire ennemi. Nous avons quelques informations concernant Saxe Coburg Square, allons voir ce qui se cache derrière.

La rue dans laquelle nous nous trouvâmes en tournant le coin du square était très différente; comme le devant d'un tableau comparé au dos. C'était l'une des artères principales entre le centre-ville et les banlieues nord et ouest. La route était bouchée par un double flot de circulation rejoignant et quittant Londres. Les trottoirs étaient noirs d'une foule de piétons pressés. On avait du mal à imaginer, en regardant l'alignement de magasins et de bureaux chics, que de l'autre côté se trouvait le square sinistre que nous venions de quitter.

– Voyons, dit Holmes en se tenant au coin et en regardant toute la rangée d'immeubles. J'aimerais juste me souvenir de toutes ces maisons. C'est un de mes passe-temps: perfectionner ma connaissance détaillée de Londres. Voilà Mortimer's, le vendeur de tabac, la maison de la presse, la filiale Coburg de la City and Suburban Bank, le restaurant végétarien et le dépôt de McFarlane, le fabricant de calèches. Cela nous mène à l'autre pâté de maisons. Maintenant, docteur, assez travaillé. Allons nous amuser. Un sandwich et une tasse de thé, puis en route pour le pays du violon où tout est douceur, délicatesse et harmonie, et où il n'y a pas de clients rouquins pour nous énerver avec leurs histoires compliquées.

Mon ami était un musicien enthousiaste. Non seulement il jouait parfaitement, mais c'était également un compositeur de talent. Tout l'après-midi, il resta assis dans son fauteuil d'orchestre, parfaitement heureux. Il bougeait ses longs doigts au rythme de la musique, pendant qu'un sourire serein s'épanouissait sur son visage détendu. Ce regard langoureux, rêveur, était tellement différent de celui de Holmes-le-chien-de-chasse, Holmes-le-détective sans peur et sans reproche, obstiné et tenace. C'était une personnalité double. J'ai souvent pensé que sa précision et sa finesse d'analyse étaient les fruits d'une réaction volontaire contre l'humeur poétique et contemplative qui était la sienne. Le balancement de son caractère le faisait passer de l'hyperactivité à l'extrême paresse. Je savais qu'il n'était jamais aussi redoutable que quand il avait passé des journées prostré dans son fauteuil entre improvisations musicales et éditions rares. Il semblait alors soudainement repris par l'instinct de la chasse. Son brillant raisonnement logique s'élevait au niveau de l'intuition. Ceux qui ne le connaissaient pas le regardaient avec peur, comme s'il disposait de connaissances interdites au commun des mortels. En le contemplant cet après-midi-là, absorbé par la musique jouée au Saint-

James' Hall, je me disais que ceux qu'il avait décidé de débusquer allaient passer un mauvais quart d'heure.

–Vous voulez sans doute rentrer, docteur, me dit-il, alors que nous sortions du concert.

–Oui, j'aimerais autant.

–Et moi, j'ai quelques affaires à régler. Ça risque de prendre plusieurs heures. Cette histoire de Coburg Square, c'est du sérieux.

–Pourquoi du sérieux?

–Un grand crime est en préparation. J'ai de bonnes raisons de croire que nous arriverons à temps pour l'empêcher d'aller jusqu'à son terme. Mais le fait qu'on soit samedi complique les données. Je vais avoir besoin de votre aide cette nuit.

–À quelle heure?

–Dix heures, ça ira.

–Je viendrai à Baker Street pour dix heures.

–Très bien. À propos, docteur, il y aura peut-être du grabuge. Soyez gentil, mettez votre revolver de l'armée dans votre poche.

Il fit un signe de la main et disparut aussitôt dans la foule.

Je crois que je ne suis pas plus bête qu'un autre, mais j'ai toujours eu à lutter contre l'impression de ma propre stupidité en fréquentant Sherlock Holmes. Dans ce cas-ci, j'avais entendu les mêmes choses que lui, j'avais vu les mêmes choses que lui. Et cependant, il était évident, d'après ce qu'il venait de dire, qu'il comprenait clairement non seulement ce qui s'était passé mais ce qui était sur le point de se produire. Alors que pour moi, toute l'affaire était aussi confuse que grotesque. En rentrant chez moi, à Kensington, je repassai tous les événements dans ma tête. Je commençai avec l'histoire extraordinaire du rouquin copiant l'*Encyclopaedia britannica* et je terminai avec notre visite à Saxe-Coburg Square. Je repensai aux paroles lourdes de menaces que Holmes avait prononcées en me quittant. Quelle était cette expédition nocturne, et pourquoi devais-je prendre une arme ? Où irions-nous, et que devais-je y faire ? J'avais compris que, d'après Holmes, l'assistant du prêteur sur gages était un adversaire redoutable – un homme qui misait gros. J'essayai de comprendre, puis j'y renonçai, découragé. La nuit apporterait tôt ou tard la solution.

À neuf heures et quart, je quittai mon domicile, traversai le parc puis Oxford Street, pour rejoindre Baker Street. Deux fiacres étaient stationnés devant la porte. En entrant dans le couloir, j'entendis des voix au-dessus. Je montai vers l'appartement de Holmes, et le trouvai en grande conversation avec deux hommes. Je reconnus l'un d'eux, il s'agissait de Peter Jones, agent de police. L'autre était un homme grand et maigre avec un visage triste, un chapeau brillant et une redingote hautement respectable.

– Voilà, nous sommes au complet, dit Holmes en boutonnant sa veste et en attrapant sa cravache sur l'étagère. Watson, je crois que vous connaissez monsieur Jones, de Scotland Yard? Je voudrais vous présenter monsieur Merryweather, qui sera notre compagnon d'aventure cette nuit.

– Nous chassons de nouveau en duos, docteur, vous voyez, dit Jones un peu pompeusement. Notre ami est merveilleux quand il s'agit de trouver une piste. Tout ce qu'il lui faut ensuite, c'est un vieux chien pour l'aider à débusquer le gibier.

– J'espère qu'on ne se retrouvera pas à chasser le dahu, murmura monsieur Merryweather tristement.

– Vous pouvez avoir toute confiance en monsieur Holmes, monsieur, dit l'agent de police d'un air supérieur. Il a ses petites méthodes qui, il ne m'en voudra pas de le dire, sont un peu trop théoriques et fantaisistes, mais il a le potentiel d'un bon détective. On ne peut pas nier qu'une fois ou deux, comme pour l'affaire du meurtre de Sholto ou le trésor Agra, il avait presque mieux compris que les forces de police.

– Si vous le dites, monsieur Jones, dit l'étranger avec respect. Cependant, je dois dire que ma belote va me manquer. C'est le premier samedi soir depuis vingt-sept ans que je n'ai pas joué à la belote.

– Je pense que ce soir vous trouverez les enjeux plus élevés que jamais, dit Holmes. Le jeu risque d'être encore plus excitant. Pour vous, monsieur Merryweather, il s'agit de trente mille livres. Et pour vous, Jones, l'occasion d'arrêter l'homme que vous recherchez.

– John Clay. Meurtrier, voleur, braqueur et faussaire. C'est un jeunot, monsieur Merryweather, mais il est l'un des meilleurs de sa profession. J'aimerais mieux le coffrer lui plus que n'importe quel autre criminel londonien. C'est un homme remarquable, notre John Clay. Son grand-père était un aristocrate, et lui-même sort des meilleures écoles privées. Son cerveau est aussi habile que ses doigts. Nous trouvons des preuves de sa présence un peu partout, mais jamais l'homme lui-même. Il peut être impliqué dans un cambriolage en Écosse un jour, et sera la semaine suivante en Cornouailles, à récolter de l'argent pour construire un orphelinat. Je le recherche depuis des années, et je ne l'ai encore jamais vu.

– J'espère avoir le plaisir de vous le présenter cette nuit. J'ai eu moi-même du fil à retordre avec John Clay. Je suis d'accord avec vous, c'est l'un des meilleurs. Mais il est dix heures passées, il faut partir. Si vous voulez bien prendre le premier fiacre, Watson et moi suivrons dans le second.

Sherlock Holmes ne fut pas très bavard pendant le long trajet. Il se laissa aller contre le dossier du siège et fredonna les mélodies entendues pendant l'après-midi. Nous traversâmes un labyrinthe interminable de petites ruelles avant d'arriver enfin à Farringdon Street.

– Nous y sommes presque, fit remarquer mon ami. Ce type, Merryweather, est directeur de banque. Il a un intérêt personnel dans l'affaire. Je me suis dit que la présence de Jones nous serait également utile. Ce n'est pas un mauvais bougre, quoiqu'un parfait imbécile professionnellement. Il a un point pour lui: une fois qu'il a pincé quelqu'un, il est courageux comme un lion et aussi tenace qu'un crabe. Nous y voilà, ils nous attendent.

Nous étions arrivés sur la même artère encombrée que nous avions visitée le matin. Nous renvoyâmes nos fiacres et, guidés par monsieur Merryweather, empruntâmes un passage étroit. Le passage débouchait sur une porte que Merryweather nous ouvrit. De l'autre côté, un petit couloir menait vers une imposante grille métallique. On l'ouvrit, et nous descendîmes un escalier de pierre en colimaçon qui nous laissa devant une autre grille immense. Monsieur Merryweather s'arrêta pour allumer une lampe à rabats, puis il nous précéda le long d'un autre passage sombre et humide qui sentait la terre mouillée. Après avoir ouvert une troisième porte, il nous fit entrer dans une énorme cave, ou un cellier, remplie de caisses et de boîtes.

– Vous ne risquez rien par le plafond, fit remarquer Holmes en levant la lampe pour regarder vers le haut.

– Ni par le sol, dit monsieur Merryweather en tapant les dalles de pierre de sa canne. Mon Dieu! Ça sonne creux! s'étonna-t-il.

– Je vais vous demander d'être plus silencieux, dit Holmes sérieusement. Vous venez de mettre en péril toute notre opération. Puis-je vous demander de vous asseoir sur l'une des caisses et de ne plus intervenir?

Monsieur Merryweather se percha solennellement sur l'une des caisses. Il avait l'air vexé. Holmes se mit à genoux et, à l'aide de la lampe et d'une loupe, commença à examiner les interstices entre les dalles. En quelques secondes, il avait apparemment trouvé ce qu'il cherchait, car il se releva et rangea sa loupe.

– Nous avons au moins une heure devant nous, affirma-t-il. Ils ne peuvent rien faire tant que le brave prêteur sur gages n'est pas couché. Mais dès ce moment-là, ils ne perdront pas une minute. Plus vite ils auront terminé leur travail, plus ils disposeront de temps pour s'évader. Nous sommes à présent, docteur – comme vous avez dû le deviner – dans les caves de la succursale d'une des principales banques londoniennes. Monsieur Merryweather en est le président. Je lui laisse le soin de vous expliquer pourquoi les criminels les plus audacieux de Londres s'intéressent beaucoup à sa cave.

– C'est notre or français, chuchota le directeur. On nous a prévenus à plusieurs reprises qu'une tentative de vol aurait lieu.

– Votre or français ?

– Oui. Il y a quelques mois, nous avons eu l'occasion de consolider nos fonds. Nous avons donc emprunté trente mille napoléons* à la Banque de France. L'information selon laquelle nous n'avions pas eu le temps de redistribuer l'argent, et qu'il était stocké dans notre cave, a transpiré. La caisse sur laquelle je suis assis contient deux mille napoléons rangés entre des couches de papier de plomb. Notre réserve en or est bien plus importante, à présent, que la réserve habituelle d'une succursale. Les directeurs sont très inquiets à ce sujet.

– Leur inquiétude est parfaitement justifiée, fit observer Holmes. Maintenant, mettons au point notre plan. Je pense que d'ici une heure les choses vont bouger. En attendant, monsieur Merryweather, il faut obscurcir la lampe.

– Et rester dans le noir?

– Malheureusement, oui. J'avais apporté des cartes en espérant, comme nous sommes quatre, pouvoir répondre à votre envie de belote. Mais je constate que les préparatifs de l'adversaire sont si avancés que nous ne pouvons pas prendre le risque de garder une lumière allumée. D'abord, il faut choisir nos positions. Ces hommes sont prêts à tout. Même si nous avons l'avantage de la surprise, ils peuvent nous blesser si nous n'y prenons pas garde. Je me tiendrai derrière cette caisse, et vous vous dissimulerez derrière les autres. Quand je les éclairerai, il faudra les encercler très vite. S'ils tirent, Watson, n'hésitez pas à riposter.

Je plaçai mon revolver armé sur la caisse derrière laquelle je m'accroupis. Holmes ferma les volets de la lampe pour nous laisser dans l'obscurité – une obscurité telle que je n'en avais jamais vu. Seule l'odeur du métal chaud nous assurait qu'une lumière attendait, prête à jaillir en un instant. Il me semblait, dans cet état de nervosité exacerbé, que l'air froid et humide de la cave était alourdi par une sorte de présence maléfique.

– Ils n'auront qu'une sortie, chuchota Holmes. Ils devront repartir dans le tunnel vers Saxe-Coburg Square. J'espère que vous avez tenu compte de ma demande, Jones?

– J'ai posté un inspecteur et deux agents devant la porte d'entrée.

– Alors, nous avons bouché toutes les sorties. Maintenant, il faut attendre en silence.

Que le temps a semblé long! En comparant nos notes, après coup, nous vîmes qu'une heure et quart seulement avait passé. Mais sur le moment, j'avais l'impression que la nuit tirait à sa fin, et que l'aube devait pointer au-dessus de notre tête. Mes jambes étaient fatiguées et raides; j'avais peur de bouger pour les soulager. J'avais les nerfs tellement tendus et l'ouïe tellement en éveil que j'entendais non seulement la respiration régulière de mes compagnons mais je distinguais celle, plus laborieuse, de Jones du sifflement aigu du directeur de la banque. Depuis ma position derrière la caisse, je pouvais voir le sol au centre de la cave. Soudain, je vis briller une lueur.

Pour commencer, ce ne fut qu'une étincelle orange entre les pavés. Puis cette étincelle se prolongea en un rayon jaune. Sans prévenir, un trou sembla s'ouvrir, et une main apparut ; une main blanche, presque féminine. Elle tâtonna tout autour du cercle de lumière. Pendant une minute ou deux, cette main aux doigts mobiles émergeait du sol. Puis, aussi soudainement qu'elle était apparue, elle s'évanouit et tout redevint noir sauf l'étincelle orange qui brillait entre les dalles.

La disparition de la main ne fut que momentanée. Un bruit déchirant s'éleva, et l'une des larges dalles blanches fut retournée pour dévoiler un trou carré d'où se déversait la lumière d'une lampe. Un visage de jeune homme apparut. L'homme regarda autour de lui, puis plaça une main de chaque côté de l'ouverture, et se hissa jusqu'aux épaules puis jusqu'à la taille. Il remonta un genou sur le rebord du trou. Le moment d'après, il était debout à côté de l'ouverture et aidait son compagnon, mince et petit comme lui, à le rejoindre.

Le compagnon avait la peau très pâle et les cheveux rouge feu.

– La voie est libre, chuchota-t-il. Tu as le ciseau à bois et les sacs? Juste ciel! Sauve-toi, Archie, sauve-toi! Je prends tout sur moi!

Sherlock Holmes avait bondi pour attraper le voleur par le col. L'autre replongea dans le trou, et j'entendis un bruit de tissu qui se déchirait quand Jones tenta de l'attraper par la veste. La lumière éclaira le canon d'un revolver, mais Holmes abattit sa cravache sur le poignet de l'homme, et l'arme tomba sur le sol avec un tintement métallique.

– Ça ne servira à rien, John Clay, dit Holmes d'un ton ennuyé. Vous n'avez aucune chance de vous en tirer.

– C'est ce que je vois, répondit l'autre avec un détachement surprenant. Mais je crois que mon copain s'en est tiré, lui. Vous n'avez eu que sa veste.

– Trois hommes l'attendent déjà devant la porte, dit Holmes.

– Vraiment? Vous semblez avoir pensé à tout. Mes compliments!

– Et les miens pour votre idée originale et efficace de la Ligue des rouquins, dit Holmes.

–Tu vas très vite revoir ton copain, dit Jones. Il est un peu plus rapide que moi dans les souterrains. Attends que je te règle les menottes.

–Je vous serais reconnaissant d'éviter de me toucher avec vos sales mains, dit le prisonnier, alors que les menottes se refermaient autour de ses poignets. Vous l'ignorez peut-être, mais le sang royal coule dans mes veines. Ayez l'obligeance également de me dire «monsieur» et «s'il vous plaît» quand vous me parlez.

Jones le fixa, puis il ricana.

–Très bien. Voudriez-vous, s'il vous plaît, monter l'escalier pour que nous puissions trouver un fiacre pour conduire Votre Altesse au commissariat?

–C'est beaucoup mieux, dit John Clay d'une voix sereine.

Il s'inclina devant nous, et s'éloigna dignement en compagnie du policier.

–Vraiment, monsieur Holmes, dit Merryweather alors que nous quittions la cave à leur suite, je ne sais pas comment la banque pourra vous remercier ou vous récompenser. Il n'y a pas de doute : vous avez démonté cette machination de la manière la plus efficace qui soit. C'est une des tentatives de cambriolage de banque les plus intelligentes que j'ai jamais vues.

— J'avais quelques rancunes personnelles à faire payer à monsieur John Clay, dit Holmes. J'ai eu quelques petits frais que la banque pourra me rembourser, mais au-delà de ça, je suis largement récompensé par cette expérience unique à plus d'un titre. Je me souviendrai longtemps de l'histoire de la Ligue des rouquins.

•

— Voyez-vous, Watson, m'expliqua-t-il au petit matin alors que nous buvions un whisky-soda à Baker Street, une partie de l'énigme était parfaitement claire dès le début. Le seul but de cette histoire à dormir debout, cette annonce de la Ligue et de la copie manuscrite de l'*Encyclopaedia britannica*, était d'éloigner le brave prêteur sur gages de chez lui chaque jour pendant un certain temps. C'était une manière assez curieuse de le faire, mais il serait difficile d'en trouver une meilleure. Clay a sans doute eu l'idée à partir de la couleur de cheveux de son complice. Les quatre livres par semaine étaient l'appât parfait. Ils pouvaient se le permettre, puisqu'ils devaient en récolter des milliers. Ils font passer l'annonce, l'un des criminels tient le bureau pendant que l'autre incite monsieur Wilson à se porter candidat. Ainsi, ils sont assurés de l'absence du propriétaire du magasin tous les matins de la semaine. À partir du moment où j'ai appris que l'employé acceptait de travailler pour la moitié d'un salaire normal, il me semblait évident qu'il devait avoir un solide motif pour vouloir ce poste.

– Mais comment avez vous identifié ce motif?

– S'il y avait eu des femmes à la maison, j'aurais soupçonné une simple intrigue amoureuse. Mais il n'y en avait pas. L'affaire de prêt sur gages était modeste. Rien dans la maison ne pouvait expliquer un tel luxe de préparatifs ni une telle somme engagée. Alors pourquoi? J'ai pensé à la passion de l'employé pour la photographie et le fait qu'il disparaissait souvent dans la cave. La cave! C'était là que menait cet indice insolite. J'ai alors posé quelques questions concernant l'individu, et j'ai compris que j'avais affaire à l'un des criminels les plus redoutables de Londres. Il faisait quelque chose dans la cave – quelque chose qui prenait plusieurs heures par jour pendant des mois. Encore une fois, je me suis demandé quoi. La seule raison que je voyais était d'y creuser un tunnel pour rejoindre un autre bâtiment.

« J'en étais arrivé là quand nous sommes allés faire un tour sur place. Vous avez été surpris en me voyant frapper le trottoir de ma canne. Je vérifiais si le tunnel partait vers l'avant ou vers l'arrière de la maison. Ce n'était pas devant. Puis j'ai sonné. Comme je l'avais espéré, l'employé a ouvert la porte. Nous nous sommes mesurés l'un à l'autre, mais nous ne nous étions jamais vus avant. J'ai à peine regardé son visage. Ce qui m'intéressait, c'était ses genoux. Vous avez dû remarquer combien ils étaient usés et tachés. Cela voulait dire des heures passées à creuser. Restait à savoir le but du tunnel. Au coin de la rue, j'ai vu que la City and Suburban Bank donnait sur l'arrière de la maison de notre ami. Je me suis dit que le problème était résolu. Quand vous êtes rentré après le concert, je suis allé à Scotland Yard et chez le président de la banque avec les résultats que vous avez vus.

– Et comment avez-vous su qu'ils passeraient à l'action cette nuit? demandai-je.

– La fermeture des bureaux de la Ligue était le signe que la présence de monsieur Jabez Wilson ne les dérangeait plus. En d'autres termes, ils avaient terminé le tunnel. Mais ils devaient obligatoirement s'en servir au plus vite de peur qu'il soit découvert ou l'argent transféré. Le samedi était le meilleur moment; cela leur laissait deux jours pour se mettre à l'abri. Pour toutes ces raisons, je m'attendais à ce qu'ils opèrent cette nuit.

– Votre raisonnement était parfait, m'exclamai-je, béat d'admiration. C'est une longue chaîne, mais chaque maillon est à sa place.

– Cela m'a évité de m'ennuyer, répondit-il en bâillant. Malheureusement, je sens que l'ennui me guette de nouveau. Ma vie est un effort constant pour m'évader de la banalité de l'existence. Ces petits problèmes m'y aident.

– Et vous devenez ainsi bienfaiteur de l'humanité, ajoutai-je.

Il haussa les épaules.

– Oui, peut-être suis-je utile après tout. Comme l'a écrit Gustave Flaubert* à George Sand* : « *L'homme n'est rien – l'œuvre est tout* ».

L'Interprète grec

Malgré une longue et intime relation avec monsieur Sherlock Holmes, je ne l'avais jamais entendu parler de sa famille, et presque jamais de sa jeunesse. Cette réticence avait eu l'effet de le rendre presque inhumain à mes yeux. Parfois, je le considérais comme un cas unique, un cerveau sans cœur qui manquait autant de sentiments humains qu'il débordait d'intelligence. Son aversion pour les femmes et sa difficulté à se faire de nouveaux amis étaient typiques de son caractère sans états d'âme. Ainsi que le fait qu'il ne faisait jamais allusion aux siens. J'en étais venu à croire que c'était un orphelin ayant perdu toute sa famille. Puis un jour, à ma grande surprise, il se mit à me parler de son frère.

C'était un soir d'été, nous avions fini le thé, et nous conversions à bâtons rompus, allant des clubs de golf aux raisons des changements dans l'oblique des ellipses. À un moment donné, nous vînmes à parler d'atavisme et d'aptitudes héréditaires. Le sujet de notre discussion était d'établir si un don chez un individu était dû à son hérédité ou à son éducation.

— En ce qui vous concerne, dis-je, et d'après ce que vous m'avez dit, il me semble évident que votre sens de l'observation et votre faculté de déduction sont les fruits d'un travail systématique pour les développer.

— Jusqu'à un certain point, dit-il sur un ton pensif. Mes ancêtres étaient des propriétaires terriens, de petits nobles qui semblent avoir tous mené la même vie que dictait leur classe sociale. Mais j'avais le goût de la déduction dans le sang. J'ai pu l'hériter de ma grand-mère qui était la sœur de Vernet, le peintre français. Les dons artistiques peuvent se manifester de manière étrange.

— Mais comment savez-vous que c'est héréditaire ?

— Parce que mon frère Mycroft possède ce don encore plus que moi.

C'était une grande nouvelle pour moi. S'il existait un autre homme en Angleterre qui possédait de tels pouvoirs, comment se faisait-il que ni la police ni le public n'en avaient entendu parler? En faisant allusion à la modestie de mon compagnon, j'ai suggéré que c'était cette vertu qui lui avait fait affirmer que son frère était meilleur que lui. Holmes a éclaté de rire.

–Mon cher Watson, dit-il, je ne suis pas d'accord avec ceux qui élèvent la modestie au rang des vertus. Pour l'amateur de logique, toute chose doit être considérée exactement comme elle est. Se sous-estimer éloigne de la vérité autant qu'exagérer ses propres pouvoirs. Quand j'affirme que les pouvoirs d'observation de Mycroft sont supérieurs aux miens, vous pouvez être sûr que je ne dis que la stricte vérité.

–Il est plus jeune que vous?

–De sept ans mon aîné.

–Pourquoi donc est-il resté inconnu?

–Mais il est très connu dans son propre milieu.

–Où ça?

–Par exemple parmi les membres du club Diogène.

Je n'avais jamais entendu parler de cet endroit, et cela a dû se voir sur mon visage, car Sherlock Holmes consulta sa montre.

–Le club Diogène est le club le plus étrange de Londres, et Mycroft en est l'un des membres les plus étranges. Il s'y trouve tous les jours de cinq heures moins le quart à huit heures moins vingt. Il est six heures, alors si une promenade pour profiter de cette magnifique soirée vous tente, je serai très heureux de vous présenter deux étrangetés.

Cinq minutes plus tard, nous marchions dans la rue en direction de Regent Circus.

– Vous vous demandez, dit mon compagnon, pourquoi Mycroft n'emploie pas ses talents comme détective. Il en est incapable.

– Mais je croyais que vous aviez dit…

– J'ai dit que ses pouvoirs d'observation et de déduction étaient supérieurs aux miens. Si l'art de la détection commençait et finissait par un raisonnement à partir de son fauteuil, mon frère serait le plus grand enquêteur de tous les temps. Mais il n'a aucune ambition et peu d'énergie. Il ne se déplace même pas pour vérifier ses propres théories, et préfère qu'on lui donne tort plutôt que de prendre le temps de prouver qu'il a raison. Plus d'une fois, je lui ai présenté un problème, et il m'a fourni une explication qui s'est avérée juste. Cependant, il est absolument incapable de travailler sur les points pratiques qui doivent être éclaircis avant de pouvoir présenter un cas devant un juge et des jurés.

– Ce n'est donc pas sa profession ?

– Pas du tout. Ce qui me permet de gagner ma vie n'est pour lui qu'un passe-temps. Il a un extraordinaire talent pour les chiffres, et vérifie les comptes pour certaines institutions gouvernementales. Mycroft habite Pall Mall, il se rend à pied à Whitehall tous les matins, et rentre tous les soirs. Depuis des années, c'est son seul et unique exercice physique, et on ne le voit nulle part sauf au club Diogène qui est juste en face de son appartement.

– Ce nom ne me dit rien.

– Cela ne m'étonne pas. Il existe beaucoup d'hommes à Londres qui, par timidité ou misanthropie, ne recherchent pas la compagnie de leurs semblables. Cependant, ils apprécient un bon fauteuil et les journaux de la semaine. Le club Diogène a été créé pour leur confort. À ce jour, ses membres sont les hommes les plus antisociaux et solitaires de la ville. Aucun n'a le droit de s'intéresser à un confrère. À part dans la salle des étrangers, il est formellement interdit de parler. Trois manquements à cette règle, et l'on peut se voir exclure. Mon frère est l'un des membres fondateurs, et j'y trouve une atmosphère de grande détente.

Tout en parlant, nous étions arrivés à Pall Mall, et nous descendions l'avenue à partir du parc Saint-James. Sherlock Holmes s'arrêta devant une porte non loin du Carlton et, m'intimant le silence, me précéda dans le hall. À travers des panneaux de verre, j'aperçus une grande pièce luxueuse dans laquelle un certain nombre d'hommes étaient assis en train de lire, chacun dans son coin. Holmes me fit entrer dans une petite pièce qui donnait sur Pall Mall. Il m'y abandonna un instant, puis revint avec un homme qui ne pouvait être que son frère.

Mycroft Holmes était beaucoup plus large et plus gros que Sherlock. Son corps était gras, mais son visage, bien que fort, avait préservé un soupçon de cette présence d'esprit, si remarquable chez Holmes. Ses yeux étaient d'un étrange bleu gris délavé, avec un regard lointain, introspectif, comme celui que j'avais remarqué chez Sherlock quand il réfléchissait intensément.

– Heureux de faire votre connaissance, monsieur, dit-il en tendant une large main, dodue comme la nageoire d'un phoque. J'entends parler de Sherlock partout depuis que vous racontez ses exploits. Au fait, Sherlock, je m'attendais à te voir la semaine dernière, à propos de cette affaire de Manor House. Je pensais que tu serais un peu perdu.

–Non, je l'ai résolue, sourit mon ami.

–C'était Adams, évidemment?

–Oui, c'était Adams.

–J'en étais sûr dès le début.

Les deux frères s'assirent près de la fenêtre.

–Si l'on veut étudier l'être humain, cet endroit est parfait, dit Mycroft. Regardez les deux hommes qui viennent par ici.

–Le fabricant de billards et l'autre?

–Exactement. Que dis-tu de l'autre?

Les deux hommes étaient arrêtés en face de la fenêtre. Des marques de craie au-dessus des poches étaient les seuls signes du billard que je pouvais voir sur l'un d'eux. L'autre type était petit et brun, son chapeau repoussé sur l'arrière du crâne, des paquets dans les bras.

–Un ancien militaire, je vois, dit Sherlock.

–Réformé depuis peu, fit remarquer son frère.

–Il a servi en Inde, je dirais.

–En tant que sous-officier.

–Chez les artilleurs, à mon avis, dit Sherlock.

–Il est veuf.

–Mais avec un enfant.

–Des enfants, mon cher, des enfants.

–Allons, dis-je en riant, vous allez trop loin !

–Il n'est pas difficile de voir qu'un homme avec cette expression d'autorité et cette peau hâlée est un militaire, plus gradé qu'un simple soldat, et qu'il revient juste de l'Inde ! répondit Holmes.

–Depuis peu, puisqu'il porte encore ses bottes réglementaires, ajouta Mycroft.

–Il n'a pas une démarche de cavalier ; cependant il portait son chapeau sur le côté puisque la peau y est plus claire. Il est trop léger pour l'infanterie. C'est un artilleur.

–Puis, évidemment, son habit de deuil montre qu'il a perdu quelqu'un de cher. Le fait qu'il fasse lui-même ses courses montre que c'est sa femme. Il a acheté des affaires pour ses enfants, vous voyez. Il y a un hochet, ce qui donne à penser que l'un d'eux est très jeune. La femme est probablement morte en couches. L'album d'images sous son bras montre qu'il y a un autre enfant à considérer.

Je commençais à comprendre ce que mon ami avait voulu dire en prétendant que les pouvoirs d'observation de son frère étaient encore plus aiguisés que les siens. Il me jeta un coup d'œil et sourit. Mycroft se servit du tabac à priser dans une boîte en écaille de tortue, et fit tomber les grains restants à l'aide d'un grand mouchoir de soie rouge.

–Au fait, Sherlock, dit-il, j'ai quelque chose pour toi –une énigme parfaitement unique –sur laquelle on m'a demandé mon avis. Je n'ai pas eu l'énergie de poursuivre l'enquête, sauf de manière très incomplète, mais je dispose de tous les éléments pour échafauder des hypothèses tout à fait intéressantes. Voulez-vous entendre les faits?

–Avec grand plaisir, mon cher Mycroft.

Le frère écrivit quelques mots sur une page de son agenda, sonna le serveur et la lui tendit.

–J'ai demandé à monsieur Melas de venir, dit-il. Il habite au-dessus de chez moi. Je l'ai brièvement rencontré, ce qui l'a poussé à venir me trouver. Monsieur Melas est d'origine grecque, si j'ai bien compris, et c'est un linguiste de talent. Il gagne sa vie en tant qu'interprète auprès des tribunaux et comme guide pour de riches Orientaux qui fréquentent les hôtels de Northumberland Avenue. Je crois que je lui laisserai raconter à sa manière son aventure remarquable.

Quelques minutes plus tard, un petit homme rondouillard nous rejoignit. Ses cheveux noirs et sa peau basanée confirmaient ses racines méditerranéennes. Son élocution, cependant, était celle d'un Anglais éduqué. Il serra avec empressement la main de Sherlock Holmes, et son regard se mit à briller quand il comprit que le détective attendait d'écouter son histoire.

–J'ai vraiment l'impression que la police me juge indigne de confiance, dit-il d'une voix plaintive. Vraiment. Ils estiment qu'une telle chose ne peut pas exister puisqu'ils ne l'ont jamais rencontrée auparavant. Mais je sais que je ne pourrai plus jamais dormir en paix tant que je ne saurai pas ce qu'est devenu mon pauvre homme au visage recouvert de pansements.

–Je vous écoute, dit Sherlock Holmes.

–Nous sommes mercredi soir, dit monsieur Melas. Eh bien, ça s'est passé lundi soir, il y a juste deux jours, vous comprenez. Je suis interprète, peut-être mon voisin vous l'a-t-il déjà dit. Je traduis toutes les langues, enfin, presque toutes. Mais comme je suis grec de naissance avec un nom grec, je suis particulièrement demandé pour traduire cette langue. Depuis plusieurs années, je suis le premier interprète grec de Londres, et je suis très connu dans les hôtels.

« Il arrive parfois qu'on fasse appel à moi à n'importe quelle heure. Des étrangers avec des problèmes, ou des voyageurs qui arrivent en retard et qui réclament mes services. Je ne fus pas très surpris, donc, lundi soir quand un certain monsieur Latimer a sonné chez moi. Il était jeune, habillé à la dernière mode, et m'a demandé de l'accompagner ; un taxi nous attendait. Un ami grec était venu le voir pour affaires, dit-il, mais cette personne ne parlait que sa langue, et ils avaient besoin d'un interprète. Il me laissa comprendre que sa maison était un peu éloignée, à Kensington, et il semblait très pressé. Dès que nous fûmes dans la rue, il me poussa dans le fiacre.

« Je dis fiacre, mais je me suis vite demandé si je ne me trouvais pas dans une calèche privée. Elle était certainement plus spacieuse que la plupart des fiacres londoniens, et l'intérieur, bien qu'usé, était de grande qualité. Monsieur Latimer s'installa face à moi, et nous traversâmes Charing Cross pour nous engager dans Shaftesbury Avenue. Nous étions arrivés à Oxford Street et je me permis un commentaire sur la route touristique que nous prenions pour nous rendre à Kensington. Mais je me tus aussitôt devant le comportement extraordinaire de mon compagnon.

« Il commença par sortir de sa poche une matraque lestée de plomb. Il la fit tourner deux ou trois fois, comme s'il vérifiait son poids et sa force. Puis, sans dire un mot, il la posa à côté de lui, sur le siège. Ensuite, il descendit les volets de chaque côté, et je constatai avec étonnement qu'ils étaient doublés de papier pour m'empêcher de voir dehors.

« – Je suis désolé de vous priver de vue, monsieur Melas, dit-il. Le fait est que je n'ai aucune intention de vous laisser deviner l'endroit où nous nous rendons. Cela pourrait m'être préjudiciable.

« Comme vous pouvez l'imaginer, j'étais totalement abasourdi par ses propos. Mon compagnon était un jeune homme fort, large d'épaules. Même sans son arme, je n'avais pas la moindre chance contre lui.

« – Votre comportement est tout à fait étrange, monsieur Latimer, balbutiai-je. Vous devez savoir que ce que vous faites est parfaitement illégal.

« – C'est un peu cavalier de ma part, sans doute, dit-il. Mais vous serez dédommagé. Je dois vous prévenir, cependant, monsieur Melas, que si à quelque moment vous tentez de donner l'alerte ou de faire quoi que ce soit contraire à mes intérêts, vous verrez à quel point l'affaire est sérieuse. Je vous prie de vous souvenir que personne ne sait où vous êtes, et que ce soit dans cette calèche ou chez moi, vous êtes à ma merci.

« Il avait parlé d'une voix douce mais éraillée, ce qui conféra à ses paroles une menace certaine. Je gardai le silence, me demandant pour quelle raison j'avais été enlevé de cette manière. Quoi qu'il en soit, il était clair que résister n'aurait servi à rien. Je ne pouvais qu'attendre pour savoir le sort qu'on me réservait.

« La calèche continua d'avancer pendant près de deux heures sans que j'eus la moindre idée de notre direction. Parfois, un bruit de cailloux suggérait que nous roulions sur des pavés. À d'autres moments, le chuintement des roues faisait penser à une route goudronnée. Mais à part ces variations de sons, je n'avais pas le moindre indice permettant de deviner l'endroit où nous nous trouvions. Le papier sur les vitres ne laissait passer aucune lumière, et la fenêtre avant était recouverte d'un rideau bleu. Nous avions quitté Pall Mall à sept heures et quart, et quand la calèche s'immobillisa enfin, il était neuf heures moins dix à ma montre. Mon compagnon baissa la vitre, et je pus deviner un porche bas éclairé par une lampe. Tandis qu'on me pressait de descendre de la calèche, la porte s'ouvrit et je me retrouvai à l'intérieur de la maison avec la vague impression d'avoir aperçu des arbres et de la pelouse de chaque côté. Mais je ne pouvais pas dire s'il s'agissait d'un parc privé ou de terres communales.

« La lampe à gaz en verre teinté qui brillait d'une petite flamme ne me permettait pas de distinguer grand-chose, sauf que l'entrée était grande et décorée de tableaux. La personne qui avait ouvert la porte était un petit homme d'âge moyen qui se tenait recourbé, l'air méchant. Au moment où il se tourna vers nous, un reflet de lumière m'apprit qu'il portait des lunettes.

« –Ceci est monsieur Melas, Harold ? demanda-t-il.

« –Oui.

« –Bien ! Bien ! Ne nous en voulez pas, monsieur Melas, mais nous ne pouvions nous passer de vous. Si vous jouez le jeu, vous ne le regretterez pas. Mais si vous tentez de nous piéger, que Dieu vous vienne en aide !

« Il parlait de manière nerveuse, saccadée, ses propos ponctués de gloussements, mais il m'inspirait encore plus de crainte que l'autre.

« –Que me voulez-vous ? demandai-je.

« –Seulement que vous posiez quelques questions à un Grec qui nous rend visite, et que vous nous trans-mettiez les réponses. Mais ne dites rien de plus que ce qu'on vous dicte ou – de nouveau le gloussement nerveux – vous regretterez d'être venu au monde.

« Tout en parlant, il ouvrit une porte et me fit entrer dans une salle qui semblait richement meublée – mais une fois encore, il n'y avait qu'une seule lampe, réglée au plus bas. La pièce était certainement grande, et je sentis mes pieds s'enfoncer dans un épais tapis. J'aperçus des fauteuils recouverts de velours, une grande cheminée de marbre blanc et ce qui ressemblait à une armure japonaise à côté de la cheminée. L'homme plus âgé me fit signe de m'asseoir sur un siège placé juste en dessous de la lampe. Le plus jeune nous avait quittés, mais il revint soudain par une autre porte. Il amenait avec lui un gentleman vêtu d'une sorte de robe de chambre. Il s'approcha lentement. Quand il fut dans la lumière, je pus le voir plus clairement. Un frisson d'horreur me parcourut en le contemplant. Il était pâle comme la mort, épouvantablement maigre, avec les yeux globuleux et brillants d'un homme dont l'esprit est plus solide que le corps. Mais ce qui me frappa encore plus que ces signes de faiblesse physique, c'était que son visage était grossièrement couvert de pansements, et qu'un large morceau de sparadrap recouvrait sa bouche.

«–Avez-vous apporté l'ardoise, Harold? cria le plus âgé des deux hommes, alors que cet être étrange se laissait tomber plutôt qu'il ne s'asseyait sur une chaise. Lui avez-vous libéré les mains? Alors donnez-lui la craie. Vous allez poser des questions, monsieur Melas, et il écrira les réponses. Demandez-lui d'abord s'il est prêt à signer les papiers.

«Le regard de l'homme s'embrasa.

«*Jamais*, écrivit-il en grec sur l'ardoise.

«–Sous aucune condition? demandai-je sous les ordres de notre tyran.

«*Seulement si je la vois mariée en ma présence par un prêtre grec que je connais.*

L'homme gloussa comme un serpent.

«–Vous savez dans ce cas ce qui vous attend?

«*Ma propre personne m'importe peu.*

«Voilà le genre de questions et réponses qui composaient notre étrange conversation, mi-parlée, mi-écrite. Je lui demandai encore et encore s'il ne voulait pas céder et signer le document. Encore et encore, je récoltai la même réponse. Je finis par avoir une idée. Je me mis à ajouter de petites phrases personnelles à chaque question –des choses innocentes pour commencer, afin de m'assurer qu'aucun de nos compagnons ne comprenait quoi que ce soit à la langue. Puis, constatant que c'était le cas, je devins plus audacieux. Notre conversation devint à peu près ceci :

« – Votre obstination ne vous mènera nulle part. Qui êtes-vous ?

« *Cela m'est égal. Un étranger à Londres.*

« – C'est vous qui décidez de votre malheur. Depuis combien de temps êtes-vous ici ?

« *Ainsi soit-il. Trois semaines.*

« – Son bien ne sera jamais à vous. Que vous arrive-t-il ?

« *Il ne reviendra pas à des criminels. Ils me font mourir de faim.*

« – On vous laissera partir si vous signez. Quelle est cette maison ?

« *Je ne signerai jamais. Je ne sais pas.*

« – Vous ne lui rendez pas service. Comment vous appelez-vous ?

« *Qu'elle me le dise elle-même. Kratides.*

« – Vous la verrez dès que vous aurez signé. D'où venez-vous ?

« *Alors je ne la reverrai plus jamais. Athènes.*

« Cinq minutes de plus, monsieur Holmes, et j'aurais découvert toute l'histoire sous leur nez. Ma question suivante aurait pu résoudre l'affaire, mais à cet instant précis, la porte s'ouvrit et une femme entra dans la pièce. Je ne pus la voir clairement, mais je la devinai grande et gracieuse. Elle avait des cheveux noirs et portait une longue robe ample.

« – Harold ! dit-elle dans un anglais marqué par un fort accent. Je ne pouvais pas rester éloignée plus longtemps. Je me sens tellement seule là-haut avec seulement… Oh, mon Dieu, c'est Paul !

« Ces dernières paroles avaient été prononcées en grec, et au même instant, l'homme, au prix d'un effort convulsif, arracha le sparadrap de sa bouche et s'écria : "Sophy ! Sophy !" avant de se précipiter dans ses bras. Ils ne se touchèrent qu'un court instant, cependant, car l'homme le plus jeune se saisit de la femme et la poussa hors de la pièce tandis que le plus âgé vint facilement à bout de sa victime émaciée. Il l'emmena précipitamment par l'autre porte. Pendant un moment, je restai seul dans la pièce. Je me levai avec la vague intention de chercher des indices pour pouvoir identifier la maison où je me trouvais. Heureusement pour moi, je n'en fis rien : en levant les yeux, j'aperçus l'homme âgé, debout dans l'encadrement de la porte, qui me regardait fixement.

« – Cela suffira, monsieur Melas, dit-il. Vous avez dû vous rendre compte que nous vous avons fait confiance dans une affaire extrêmement privée. Nous n'aurions jamais fait appel à vous, seulement notre ami qui parle grec et qui a commencé ces négociations a dû retourner dans l'Est. Nous devions absolument trouver un remplaçant, et nous avons eu vent de vos compétences.

Je m'inclinai.

« – Voici cinq sovereigns*, dit-il en me rejoignant. J'espère qu'ils constitueront un salaire suffisant. Mais rappelez-vous, ajouta-t-il avec un petit gloussement en me tapotant la poitrine, si vous dites un mot de ceci à quiconque, eh bien, que Dieu ait pitié de votre âme !

« J'ai du mal à exprimer la répulsion et l'horreur que m'inspirait cet homme si insignifiant. La lumière de la lampe me permettait de mieux le voir à présent. Ses traits étaient jaunes et tendus, et sa petite barbe pointue clairsemée et mal soignée. Il avançait son visage tout en parlant, et ses yeux et sa bouche étaient agités de tics nerveux comme ceux d'un homme atteint de la danse de Saint-Guy*. Je ne peux m'empêcher de penser que son petit rire saccadé était également un symptôme de quelque maladie nerveuse. Mais le sentiment de terreur que la vue de son visage faisait naître en moi venait des yeux. Ils étaient gris acier, et dans leur profondeur glacée brillait une cruauté maligne et insondable.

«—Nous saurons si vous parlez de cette nuit, dit-il. Nous avons nos propres sources d'information. À présent, la calèche vous attend. Mon ami vous accompagnera.

«On me pressa dans le hall jusqu'à la calèche, et je n'eus, encore une fois, qu'une impression de pelouse et d'arbres. Monsieur Latimer me suivait de près, et s'installa face à moi sans mot dire. Le trajet interminable se fit sans un mot, les fenêtres fermées. Enfin, peu après minuit, le coche s'immobilisa.

«—Vous descendrez ici, monsieur Melas, dit mon compagnon. Je suis désolé de vous laisser si loin de votre domicile, mais je n'ai pas le choix. Toute tentative de suivre cette calèche ne peut que se terminer mal pour vous.

«Il ouvrit la porte tout en parlant. J'eus à peine le temps de descendre, que le cocher fouettait le cheval et la calèche repartait. Je regardai autour de moi avec stupéfaction. Je me trouvais au milieu d'une sorte de terrain communal recouvert de bruyère et parsemé de buissons d'ajonc. Au loin, j'apercevais une rangée de maisons. Les fenêtres du premier étage étaient illuminées ici et là. De l'autre côté, les lumières rouges des signaux d'un chemin de fer.

«La calèche qui m'avait laissé était déjà hors de vue. Je regardais autour de moi en me demandant où diable je pouvais être quand je vis quelqu'un s'approcher dans l'obscurité. Quand il fut plus près, je vis qu'il s'agissait d'un porteur travaillant pour les chemins de fer.

«—Pouvez-vous me dire où nous sommes ? demandai-je.

«—À Wandsworth Common, me répondit-il.

«—Puis-je trouver un train pour aller en ville ?

«—Vous avez un mile* ou deux à faire à pied jusqu'à Clapham Junction, mais vous arriverez à l'heure pour le dernier train en direction de Victoria.

«Ainsi se termina mon aventure, monsieur Holmes. Je ne sais pas où j'étais ni avec qui j'ai parlé, rien de rien, sauf ce que je vous ai dit. Mais je sais qu'il se trame quelque chose de louche, et je voudrais aider ce pauvre homme, si c'est possible. J'ai raconté toute l'histoire à monsieur Mycroft le lendemain matin, puis à la police.

Ce récit extraordinaire terminé, nous restâmes tous silencieux pendant quelques minutes. Puis Sherlock regarda son frère.

– Quelles mesures ? demanda-t-il.

Mycroft prit le *Daily News* sur une table basse.

« – Toute personne pouvant donner des informations sur l'endroit où se trouve monsieur Paul Kratides, d'Athènes, de nationalité grecque, ne parlant pas l'anglais, sera récompensée. Une récompense semblable sera donnée pour toute information concernant une jeune femme grecque prénommée Sophy. X2473. » Cette annonce a été passée dans tous les quotidiens. Aucune réponse.

– Et le consulat grec ?

– J'ai demandé. Ils ne savent rien.

– Un câble au chef de la police d'Athènes, alors.

– Sherlock a hérité de toute l'énergie de la famille, dit Mycroft en me regardant. Prenez l'affaire, je vous en prie, et tenez-moi au courant si vous réussissez.

– Bien sûr, répondit mon ami en se levant. Je te tiendrai au courant. Et monsieur Melas également. En attendant, monsieur Melas, faites bien attention à vous. On doit savoir, à cause de ces annonces, que vous n'avez pas tenu parole.

Sur le chemin de la maison, Holmes s'arrêta à un bureau de télégraphe et fit partir plusieurs télégrammes.

– Vous voyez, Watson, fit-il remarquer, nous n'avons pas perdu notre soirée. Quelques-unes parmi les affaires les plus intéressantes m'ont été données par Mycroft. L'histoire que nous venons d'entendre, même si elle n'a qu'une explication possible, présente néanmoins quelques particularités.

– Vous pensez pouvoir la résoudre ?

– En sachant tout ce que l'on sait, ce serait bien dommage si on ne parvenait pas à découvrir le reste. Vous avez dû vous-même bâtir une théorie pour expliquer les faits que nous avons entre les mains.

– Plus ou moins, oui.

– Alors, quelle est votre idée ?

– Il me semble évident que cette femme, Sophy, a été enlevée par le jeune Anglais du nom de Harold Latimer.

– Enlevée d'où ?

– D'Athènes, peut-être.

Sherlock Holmes secoua la tête.

– Ce jeune homme ne parlait pas un mot de grec. La dame parlait assez bien anglais. Ce qui laisse supposer qu'elle est en Angleterre depuis un certain temps, mais que lui n'est jamais allé en Grèce.

– Eh bien, supposons qu'elle soit venue visiter l'Angleterre, et que ce Harold l'ait persuadée de s'enfuir avec lui.

– C'est déjà plus vraisemblable.

– Puis le frère – car je pense que c'est le lien entre eux – arrive de Grèce pour intervenir. Il commet l'imprudence de tomber entre les mains du jeune homme et de son associé plus âgé. Ils le séquestrent et le menacent afin de l'obliger à signer des papiers pour leur céder la fortune – dont il doit être l'administrateur – de la fille. Il s'y refuse. Afin de négocier, ils ont besoin d'un interprète, et ils jettent leur dévolu sur ce monsieur Melas, après avoir commencé avec quelqu'un d'autre. La fille n'est pas avertie de l'arrivée de son frère, et ne la découvre que par accident.

– Excellent, Watson ! s'écria Holmes. Je crois vraiment que vous n'êtes pas loin de la vérité. Vous voyez, nous détenons toutes les cartes, et la seule chose que nous ayons à craindre est un soudain acte de violence de leur part. S'ils nous laissent le temps, nous les aurons.

—Mais comment découvrir le lieu où se trouve cette maison?

—Eh bien, si notre théorie est juste et le nom de la fille Sophy Kratides, nous ne devrions pas avoir de problème pour retrouver sa trace. C'est notre espoir principal, car le frère est un parfait étranger. Il est évident qu'il s'est passé un certain temps depuis que ce Harold a noué des liens avec la fille —quelques semaines pour le moins —puisque le frère, en Grèce, a eu le temps d'en avoir connaissance et de venir. S'ils habitent au même endroit depuis tout ce temps, il est probable que nous aurons des réponses à l'annonce de Mycroft.

Nous étions arrivés à notre maison de Baker Street. Holmes monta l'escalier en premier, mais en ouvrant la porte de notre appartement, il poussa un cri de surprise. En regardant par-dessus son épaule, je fus tout aussi étonné. Son frère Mycroft était assis dans le fauteuil, un cigare à la main.

—Entre, Sherlock! Entrez, monsieur, dit-il avec un sourire devant nos mines déconfites. Tu ne t'attendais pas à autant d'énergie de ma part, n'est-ce pas, Sherlock? Mais quelque part, cette affaire m'intrigue.

—Comment es-tu arrivé jusqu'ici?

—Je vous ai dépassés en fiacre.

– Il s'est passé quelque chose de nouveau ?

– Une réponse à mon annonce.

– Ah !

– Oui, elle est arrivée quelques minutes après votre départ.

– Et que dit-elle ?

Mycroft Holmes déplia une feuille de papier.

– La voici, dit-il, écrite avec une plume de taille J, sur du papier crème de qualité royale, par un homme d'âge moyen qui a des problèmes de santé. « Monsieur », dit-il. « En réponse à votre annonce de ce jour, j'ai l'honneur de vous informer que je connais très bien la jeune femme dont il s'agit. Si vous voulez me rendre visite, je vous entretiendrai des détails de sa pénible histoire. Elle vit actuellement aux Myrtilles, à Beckenham. Votre serviteur, J. Davenport. » Il écrit de Lower Brixton, dit Mycroft Holmes. Tu ne crois pas qu'on pourrait aller lui rendre visite dès maintenant, Sherlock, et apprendre ces détails ?

– Mon cher Mycroft, la vie du frère est plus importante que l'histoire de la sœur. Je pense que nous devrions nous arrêter à Scotland Yard pour avertir l'inspecteur Gregson, puis aller directement à

Beckenham. Nous savons que notre homme est privé de nourriture, et chaque heure peut compter.

– On devrait aller chercher monsieur Melas en chemin, suggérai-je. Nous pourrions avoir besoin d'un interprète.

– Excellente idée! dit Sherlock Holmes. Envoyez chercher un taxi, et nous partirons sur-le-champ.

En disant ces mots, il ouvrit le tiroir de sa table de travail, et je vis qu'il glissait un revolver dans sa poche.

– Oui, dit-il en croisant mon regard. D'après ce que nous savons, je crois que nous avons affaire à une bande de criminels particulièrement dangereux.

La nuit tombait quand nous nous arrêtâmes enfin devant l'appartement de monsieur Melas. Un gentleman venait de passer le chercher, et il était parti.

– Pouvez-vous nous dire où il allait? demanda Mycroft Holmes.

– Je ne sais pas, monsieur, répondit la femme qui avait ouvert la porte. Je sais juste qu'il est parti en calèche avec ce gentleman.

– Ce gentleman a-t-il laissé son nom?

– Non, monsieur.

– Ce n'était pas un grand beau jeune homme aux cheveux bruns?

– Oh, non, monsieur. Il était petit, avec des lunettes, un visage maigre mais très agréable car il riait tout le temps.

– Venez ! ordonna Sherlock Holmes. L'affaire se corse ! observa-t-il tandis que nous nous rendions à Scotland Yard. Ces types ont remis la main sur Melas. C'est un homme sans aucun courage physique, comme ils ont pu le constater l'autre soir. Ce criminel l'a terrorisé au premier regard. Ils ont sans doute encore besoin de ses compétences professionnelles, mais quand ils auront profité de ses services, ils seront peut-être tentés de le punir pour ce qu'ils considéreront comme une trahison.

Nous espérions qu'en prenant le train, nous arriverions à Beckenham en même temps que la calèche ou même avant. Mais nous dûmes attendre plus d'une heure à Scotland Yard avant de pouvoir joindre l'inspecteur Gregson et remplir les formalités légales qui nous permettraient d'entrer dans la maison. Nous arrivâmes à London Bridge à dix heures moins dix, et à dix heures et demi, descendîmes tous les quatre à la gare de Beckenham. Un trajet d'une demi-heure nous permit de rejoindre Les Myrtilles, une grande maison sombre, en retrait de la route, entourée d'un parc privé.

Nous renvoyâmes notre voiture et remontâmes le chemin qui menait à la maison.

– Les lumières sont toutes éteintes, fit remarquer l'inspecteur. La maison semble désertée.

– Nos oiseaux se sont envolés et le nid est vide, dit Holmes.

– Qu'est-ce qui vous fait dire ça?

– Une calèche lourdement chargée de bagages est repartie depuis moins d'une heure.

L'inspecteur éclata de rire.

– J'ai remarqué les traces de roues sur le chemin grâce à la lumière du portail, mais où allez-vous chercher les bagages?

– Vous auriez pu remarquer les mêmes traces de roues qui allaient dans l'autre sens. Mais celles qui repartaient étaient beaucoup plus profondes, au point qu'on peut dire avec certitude que la calèche transportait un poids considérable.

– Vous me dépassez un peu, là, dit l'inspecteur en haussant les épaules. Ça ne va pas être facile de forcer l'entrée par cette porte. Essayons d'attirer l'attention.

Il frappa bruyamment à l'aide du heurtoir, et tira plusieurs fois la sonnette, en vain. Holmes avait disparu, mais il revint au bout de quelques minutes.

– J'ai ouvert une fenêtre, dit-il.

– Heureusement que vous êtes du bon côté de la loi, monsieur Holmes, fit remarquer l'inspecteur en observant la manière astucieuse dont mon ami avait défait la fermeture. Eh bien, je pense qu'étant donné les circonstances, nous pouvons entrer sans invitation.

L'un après l'autre, nous entrâmes dans la grande pièce où, de toute évidence, monsieur Melas avait séjourné. L'inspecteur avait allumé sa lanterne, et nous pouvions distinguer les deux portes, le rideau, la lampe et l'armure japonaise tels que l'interprète les avait décrits. Sur la table il y avait deux verres, une bouteille de brandy vide, et les restes d'un repas.

– Qu'est-ce que c'est? demanda soudain Holmes.

Nous nous immobilisâmes pour écouter. Un long gémissement résonnait quelque part au-dessus de nos têtes. Holmes se précipita vers la porte, et sortit dans l'entrée. Le bruit atroce venait d'en haut. Il monta l'escalier en courant, l'inspecteur et moi-même juste derrière. Son frère, Mycroft, suivit aussi vite que sa corpulence le lui permettait.

Au deuxième étage, trois portes nous faisaient face. Les bruits sinistres s'élevaient derrière la porte centrale; parfois un simple marmonnement, parfois un hurlement aigu. La porte était fermée, mais la clef était dans la serrure. Holmes ouvrit et se précipita dans la pièce, pour ressortir aussitôt, une main à la gorge.

– C'est du charbon, cria-t-il. Il faut attendre, ça va se dissiper.

En regardant à l'intérieur, on voyait que l'unique lumière provenait d'une flamme bleue qui brûlait sur un trépied de cuivre posé au centre de la pièce. La flamme projetait un cercle blanc, surnaturel, sur le sol. Dans les ombres alentour, on pouvait distinguer la vague silhouette de deux corps recroquevillés contre le mur. Il sortait de la porte ouverte d'horribles émanations toxiques qui nous firent tousser et chercher notre souffle. Holmes courut en haut de l'escalier pour faire un appel d'air, puis il se précipita dans la pièce pour ouvrir la fenêtre et jeta le trépied de cuivre dans le jardin.

– Dans une minute, nous pourrons entrer, haleta-t-il en ressortant. Donnez-moi une bougie. Je crains qu'on ne puisse frotter une allumette dans cette atmosphère. Tiens la lumière près de la porte, Mycroft, on va les sortir. Maintenant !

Nous atteignîmes les hommes intoxiqués et réussîmes à les sortir dans le couloir. Ils étaient sans connaissance, les lèvres bleues, le visage congestionné, les yeux saillants. Ils étaient tellement méconnaissables que, si ce n'était sa barbe noire et sa corpulence, nous aurions pu ne pas reconnaître l'interprète grec qui nous avait quittés quelques heures auparavant au club Diogène. Il avait les pieds et les mains solidement attachés, et présentait un gros hématome au-dessus de l'œil, signe d'un coup violent. L'autre, attaché de manière semblable, était un grand homme horriblement émacié. Plusieurs morceaux de sparadrap recouvraient son visage d'un dessin grotesque. Il cessa de gémir tandis que nous le sortions, et un seul regard suffit pour constater que, en ce qui le concernait du moins, nous étions arrivés trop tard. Monsieur Melas, heureusement, était encore en vie. Moins d'une heure plus tard, à l'aide de cognac et d'ammonium, j'eus la satisfaction de le voir ouvrir les yeux. Je sus alors que j'avais pu le ramener de cette vallée obscure où tous les chemins se rencontrent.

Son histoire était simple, et ne fit que confirmer nos déductions. En arrivant chez lui, son visiteur avait sorti un couteau de sa manche, et l'avait tellement impressionné avec cette arme terrible et la peur d'une mort imminente et quasi certaine qu'il avait pu l'enlever une seconde fois. Le criminel, avec son rire effrayant, avait produit un effet presque hypnotique sur notre pauvre linguiste, car il ne pouvait parler de lui sans trembler et pâlir. On l'avait emmené à Beckenham et il avait servi d'interprète pour un deuxième entretien encore plus dramatique que le premier. Les deux Anglais menaçaient leur prisonnier d'une mort immédiate s'il refusait toujours de coopérer. Finalement, comme il ne flanchait devant aucune menace, ils l'avaient rejeté dans sa prison. Ils avaient reproché à Melas sa traîtrise évidente au vu de l'annonce dans le journal, ils l'avaient assommé à l'aide d'un bâton, et il ne se souvenait de rien d'autre avant de nous voir penchés au-dessus de lui.

Voilà l'étrange affaire de l'interprète grec dont l'explication reste entourée de mystère. Nous apprîmes, grâce au gentleman qui avait répondu à l'annonce, que la malheureuse jeune dame était issue d'une riche famille grecque, et qu'elle avait récemment rendu visite à des amis Anglais. Pendant son séjour, elle avait rencontré un jeune homme du nom de Harold Latimer qui avait acquis une certaine influence sur elle. Il avait fini par la convaincre de s'enfuir avec lui. Ses amis, profondément perturbés par la situation, s'étaient contentés de prévenir son frère à Athènes, puis s'en étaient lavé les mains.

Le frère, en arrivant en Angleterre, avait commis l'imprudence de s'ouvrir à Latimer et à son associé, Wilson Kemp, un individu de la pire espèce. Les deux malfrats, constatant que la barrière de la langue faisait de l'homme un jouet entre leurs mains, l'avaient gardé prisonnier. En le privant de nourriture et en le soumettant à des violences, ils espéraient l'obliger à se séparer de ses biens et de ceux de sa sœur. Ils l'avaient séquestré dans la maison sans avertir la fille, et le sparadrap sur son visage devait éviter qu'elle le reconnaisse. Quand elle l'avait aperçu pour la première fois, cependant, lors de la visite de l'interprète, son intuition avait percé le déguisement. Mais la pauvre fille était elle-même prisonnière, car il n'y avait personne dans la maison sauf le cocher et sa femme, tous les deux sous les ordres des criminels. En voyant leur secret découvert et en comprenant que leur prisonnier ne céderait pas, les deux malfrats avaient pris la fuite en emmenant la fille avec eux. Ils avaient quitté cette maison de location meublée en pensant s'être vengés de l'homme qui leur avait tenu tête et de celui qui les avait trahis.

Des mois plus tard, on nous envoya une curieuse coupure de presse en provenance de Budapest. L'article relatait la fin tragique de deux Anglais qui voyageaient en compagnie d'une femme. Il semblait qu'ils avaient été poignardés tous les deux. La police hongroise estimait qu'ils s'étaient mortellement blessés l'un l'autre à la suite d'une altercation. Je pense, cependant, que Holmes a un autre avis sur le sujet. Il maintient, encore aujourd'hui, que celui qui retrouvera la jeune grecque apprendra comment les torts qu'elle et son frère avaient subis ont été vengés.

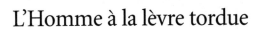

L'Homme à la lèvre tordue

Isa Whitney, le frère du regretté Elias Whitney, D.D.[*], principal du collège de théologie Saint-George, était un grand consommateur d'opium. D'après ce que j'ai compris, il est devenu toxicomane pendant ses études. Après avoir lu les rêves et expériences de De Quincey[*], il avait trempé son tabac dans le laudanum[*] en espérant éprouver les mêmes sensations. Comme d'autres avant lui, il a découvert qu'il est beaucoup plus facile de s'habituer à la drogue que de s'en défaire. Pendant de nombreuses années, il fut dépendant, esclave du produit, suscitant à la fois mépris et pitié de la part de ses amis et de sa famille. Je le vois encore recroquevillé sur sa chaise: le visage jaune pâle, les paupières tombantes, les pupilles rétrécies ; l'ombre en ruine de l'homme estimable qu'il avait été.

Un soir – nous étions en juin 1889 – on sonna à ma porte à peu près à l'heure où l'on commence à bâiller et à regarder la pendule. Je me redressai sur ma chaise, et ma femme* posa sa broderie avec une moue de déception.

– Un malade, dit-elle. Tu vas devoir sortir.

Je grognai ; je venais de rentrer d'une journée fatigante.

Nous entendîmes grincer la porte de la maison, puis des pas rapides sur le linoléum. Notre porte s'ouvrit, et une dame vêtue de marron clair, voilée de noir, entra dans le salon.

– Pardonnez-moi de venir si tard, commença-t-elle.

Puis elle perdit son calme et se précipita sur ma femme.

– Oh, j'ai tant de problèmes ! sanglota-t-elle en se jetant a son cou. J'ai tellement besoin d'aide !

– Mon Dieu ! dit ma femme et relevant le voile. C'est Kate Whitney ! Tu m'as fait peur, Kate ! Je ne t'avais pas reconnue !

– Je ne savais plus quoi faire, alors je suis venue chez vous.

C'était souvent le cas. Les gens dans le malheur étaient attirés vers ma femme, comme des papillons vers la lumière.

— Tu as très bien fait de venir. Maintenant, assieds-toi. Tu vas boire un verre de vin avec de l'eau, t'installer confortablement, et nous raconter ce qui t'arrive. Ou préfères-tu que j'envoie James se coucher?

— Non, non. Je voudrais également l'avis et les conseils du docteur. C'est au sujet d'Isa. Il n'est pas rentré depuis deux jours. Je m'inquiète terriblement pour lui.

Ce n'était pas la première fois qu'elle évoquait devant nous les problèmes de son mari. Je l'avais entendue à ce sujet en ma qualité de médecin, et ma femme était l'une de ses vieilles amies et camarade d'école. Nous la réconfortâmes et la rassurâmes comme nous pûmes. Savait-elle où se trouvait son mari? Ne pouvions-nous pas le lui ramener?

Apparemment, si. Elle avait appris de source sûre que lorsqu'il était en manque, son mari fréquentait une fumerie d'opium dans l'est de la ville. Jusqu'ici, ses orgies s'étaient limitées à une journée. Il rentrait le soir, défait et secoué de tics. Mais cette fois-ci il était parti depuis quarante-huit heures. Sans doute gisaitil parmi les pires habitants des docks, à respirer le poison ou à en cuver les effets. Elle était certaine qu'on le retrouverait au «Bar d'Or» dans Upper-Swandam Lane. Que pouvait-elle faire? Comment pouvait-elle, jeune femme timide, se rendre dans un endroit pareil et enlever son mari à tous les malfrats qui l'entouraient?

Telle était la situation et, bien sûr, il n'y avait qu'une solution: je l'accompagnerais en ce lieu. Mais, en y réfléchissant bien, pourquoi la faire venir? J'étais le conseiller médical d'Isa Whitney, et j'avais une certaine influence sur lui. Je m'en sortirais mieux tout seul. Je lui promis que, si je le retrouvais à l'adresse qu'elle m'avait donnée, je le renverrais chez lui en taxi en moins de deux heures. Ainsi, dix minutes plus tard, j'avais quitté mon fauteuil et mon confortable salon pour me diriger vers l'est dans un fiacre. Je pensais alors que ma mission était assez étrange. L'avenir allait montrer à quel point elle l'était.

Le début de mon aventure se passa sans accrocs. Upper-Swandam Lane est une allée sordide qui se terre derrière les quais, au nord du fleuve, juste à l'est de London Bridge. Entre un magasin d'habillement pour marins et un débit de boisson, un escalier descendait vers un trou noir comme l'entrée d'une caverne. J'y trouvai la fumerie que je cherchais. Je demandai au fiacre de m'attendre, et descendis les marches usées par les semelles d'innombrables soûlards. Grâce à la flamme ténue d'une lampe à huile au-dessus de la porte, je trouvai la poignée et entrai dans une longue pièce, basse de plafond. L'atmosphère était lourde, imprégnée du brouillard marron de la fumée d'opium. De chaque côté, il y avait des cloisons en bois, comme dans la cale d'un bateau d'émigrés.

À travers le brouillard, on devinait des corps étendus dans des positions bizarres : épaules voûtées, genoux pliés, tête renversée et menton pointé vers le haut. Ici et là, un œil noir et terne suivait le progrès du nouveau venu que j'étais. Dans la pénombre, de petits cercles rouges brillaient puis s'éteignaient au fur et à mesure que le poison brûlait dans le bol des pipes métalliques. La plupart des hommes étaient silencieux, mais d'autres marmonnaient d'une voix étrange et monotone.

Leurs paroles m'atteignaient par vagues, puis fondaient de nouveau dans le silence ; chacun grommelant ses propres pensées sans prêter attention aux murmures de son voisin. Au bout de la pièce, à côté d'un petit brasier de charbon, un vieil homme grand et maigre était assis sur un tabouret à trois pieds. Son menton reposant sur ses poings, ses coudes sur ses genoux, pendant qu'il fixait le feu.

Au moment où j'entrais, un serveur malais à la peau jaunâtre se présenta avec une pipe et de la drogue. Il me fit signe de le suivre vers un compartiment vide.

– Merci, je ne resterai pas, dis-je. Un de mes amis est ici, monsieur Isa Whitney, et je désire lui parler.

J'entendis un mouvement et une exclamation vers ma droite. En regardant à travers le brouillard, j'entrevis Whitney, pâle et défait, qui me dévisageait.

– Mon Dieu, c'est Watson! dit-il.

Il était dans un état pitoyable, chaque nerf de son corps en mouvement.

– Dites-moi, Watson, quelle heure est-il?

– Presque onze heures.

– De quel jour?

– Le vendredi 19 juin.

– Juste ciel, je croyais qu'on était mercredi. On est mercredi. Pourquoi me faire peur comme ça?

Il laissa sa tête retomber sur ses bras et se mit à sangloter d'une voix aiguë.

– Je vous assure qu'on est vendredi. Votre femme vous attend depuis deux jours. Vous devriez avoir honte !

– J'ai honte, c'est vrai, mais vous vous trompez, Watson. Je ne suis ici que depuis quelques heures – trois, quatre pipes, j'oublie combien. Enfin, je vais rentrer avec vous. Je ne voudrais pas effrayer Kate – pauvre petite Kate. Donnez-moi le bras. Avez-vous un taxi ?

– Un fiacre attend devant.

– Alors je le prends. Mais je dois de l'argent ici. Demandez-leur combien je dois, Watson, je ne me sens pas très bien. Je ne peux pas le faire moi-même.

À la recherche du gérant, je remontai le passage étroit entre les dormeurs, en retenant mon souffle pour éviter de respirer l'horrible fumée enivrante de la drogue. Tandis que je passais devant l'homme assis près du brasier, je sentis qu'on me tirait la veste. Une voix chuchota : « Continuez votre chemin, puis retournez-vous pour me regarder ! »

J'avais entendu les mots très distinctement. Je baissai le regard ; seul le vieil homme assis à mes côtés avait pu les prononcer. Cependant, il semblait aussi hypnotisé par le feu qu'auparavant. Il était très maigre, ridé, courbé par l'âge, et une pipe à opium pendait entre ses genoux comme si, de fatigue, il l'avait laissée tomber. Je fis deux pas et regardai en arrière. Je dus faire un effort pour éviter de pousser un cri de surprise. Il s'était tourné de manière à n'être vu de personne d'autre que moi. Son corps s'était rempli, ses rides avaient disparu, ses yeux éteints avaient retrouvé leur éclat. Devant moi, assis devant le feu et ravi de mon étonnement, se trouvait Sherlock Holmes lui-même. Il me fit signe de m'approcher et immédiatement, tout en se tournant de nouveau vers la salle, reprit l'aspect d'un homme détruit et sénile.

— Holmes! chuchotai-je. Que diable faites-vous dans ce boui-boui?

— Parlez très bas, répondit-il. J'ai une ouïe excellente. Si vous aviez la gentillesse de vous débarrasser de cet idiot d'ami, j'aimerais beaucoup parler avec vous.

— Un taxi m'attend devant.

— Alors faites-le raccompagner chez lui. Vous pouvez lui faire confiance; il est trop ramolli pour faire des bêtises. J'aimerais également que vous fassiez envoyer un mot à votre femme pour dire que vous avez accepté de m'accompagner. Si vous voulez bien m'attendre dehors, je vous rejoindrai dans cinq minutes.

Il était difficile de refuser quoi que ce soit à Sherlock Holmes, car ses demandes étaient toujours très précises et formulées avec une tranquille maîtrise. Je me disais également qu'une fois Whitney dans le fiacre, ma mission serait terminée. J'avais très envie d'être impliqué dans l'une des aventures singulières qui constituaient le quotidien de mon ami. J'écrivis le mot, réglai la note de Whitney, le conduisis vers le taxi et l'envoyai chez lui dans l'obscurité de la nuit. Peu après, le vieillard défait était sorti de la fumerie d'opium, et je descendais la rue en compagnie de Sherlock Holmes. Pendant quelques minutes, il vacilla, le dos courbé et la démarche incertaine. Puis, après avoir jeté un regard autour de nous, il se redressa et éclata d'un rire chaleureux.

– Je suppose, Watson, dit-il, que vous imaginez que, non content de m'injecter de la cocaïne dans les veines, j'ai commencé à fumer de l'opium ? Que j'ai ajouté une autre faiblesse à celles dont vous m'honorez de votre point de vue médical ?

– J'ai certainement été surpris de vous trouver là-bas.

– Pas autant que moi de vous y voir.

– Je suis venu retrouver un ami.

– Et moi, à la recherche d'un ennemi.

– Un ennemi?

– Oui, l'un de mes ennemis naturels, ou devrais-je dire, l'une de mes proies naturelles. Pour être bref, Watson, je suis au milieu d'une enquête fascinante. J'espérais trouver un indice parmi les délires incohérents de ces idiots, comme c'est arrivé dans le passé. Si j'avais été reconnu dans cette cave, ma vie n'aurait plus valu grand-chose. J'ai déjà utilisé cet endroit dans le passé, et l'Indien qui le gère, un redoutable criminel, a juré de se venger. Il y a une trappe à l'arrière du bâtiment, près du coin du quai Saint-Paul. Cette trappe pourrait raconter de drôles d'histoires concernant tout ce qu'elle a vu passer par des nuits sans lune.

– Quoi? Vous ne parlez pas de corps?

– Si, de corps, Watson. Nous serions des hommes riches si nous avions mille livres par pauvre diable ayant trouvé la mort dans cette cave. C'est le pire endroit de tout le quartier, un piège mortel et j'ai bien peur que Neville Saint-Clair y soit entré pour ne plus jamais en sortir. Notre fiacre devrait nous retrouver ici.

Il plaça deux doigts dans sa bouche et émit un sifflement aigu. Un autre sifflement répondit aussitôt, de plus loin. Peu après, on entendit les roues du fiacre et le pas du cheval sur les pavés.

–Et maintenant, Watson, vous venez avec moi, n'est-ce pas? demanda Holmes, alors qu'une calèche s'approchait rapidement en projetant deux faisceaux de lumière dorée de chaque côté.

–Si je peux vous être utile.

–Un camarade digne de confiance est toujours utile. Et un chroniqueur encore plus. J'ai une chambre aux Cèdres avec deux lits.

–Les Cèdres?

–Oui, c'est la maison de monsieur Saint-Clair. J'y demeure le temps de l'enquête.

–Où est-ce?

–Près de Lee, dans le Kent. Nous avons un trajet de sept miles* devant nous.

–Mais j'ignore totalement de quoi il retourne dans cette affaire.

–Bien sûr. Vous saurez tout bientôt. Montez à mes côtés! Merci, John, on se passera de vous. Voici une demi-couronne. Attendez-moi demain vers onze heures. Lâchez-lui la bride! À bientôt!

Il fit claquer le fouet au-dessus du cheval, et nous partîmes au galop dans le dédale interminable des rues sombres et désertes. Une avenue s'élargit devant nous et mena vers un pont à balustrades qui enjambait un fleuve épais et brunâtre. Au-delà, s'étendait un nouveau quartier de briques et de ciment. Le silence n'était rompu que par le pas rythmé des policemen* ou les chants et les cris d'une bande de fêtards. Quelques étoiles brillaient çà et là derrière un banc de nuages qui traversait lentement le ciel en un rideau opaque. Holmes conduisait sans un mot, le menton affaissé sur son torse, l'air d'un homme perdu dans ses pensées. Je restais à ses côtés en me demandant quelle était cette nouvelle enquête qui semblait tant l'absorber. Cependant je craignais d'interrompre le flot de ses réflexions. Nous parcourûmes plusieurs miles et commençâmes à pénétrer dans la grande banlieue des villas. Soudain, Holmes se secoua, haussa les épaules et alluma sa pipe comme s'il était tout d'un coup persuadé d'avoir agi pour le mieux.

—Vous avez un don pour le silence, Watson, dit-il. Cela fait de vous un compagnon d'une grande valeur. Croyez-moi, c'est important pour moi d'avoir quelqu'un à qui parler, car mes propres pensées sont loin d'être agréables. Je me demande ce que je vais dire à cette chère petite dame, ce soir, quand elle ouvrira la porte.

—Vous oubliez que je ne sais rien de l'affaire.

– J'aurai juste le temps de vous expliquer les faits avant d'arriver à Lee. Tout semble incroyablement simple, mais je n'arrive pas à dégager la moindre piste. Comme une pelote de laine dont je ne trouve pas le bout. Je vais vous expliquer le problème de manière claire et précise, Watson. Peut-être verrez-vous un peu de lumière là où je n'aperçois que ténèbres.

– Allez-y.

– Il y a quelques années – pour être précis en mai 1884 – arriva à Lee un gentilhomme nommé Neville Saint-Clair qui semblait avoir beaucoup d'argent. Il acheta une grande villa, arrangea le domaine avec goût, et se mit à vivre de manière très confortable. Petit à petit, il se fit des amis dans la région, et épousa en 1887 la fille d'un brasseur local. Sa femme lui a donné deux enfants. Il ne travaillait pas, mais il avait investi dans plusieurs sociétés. En général, il partait en ville le matin, et rentrait tous les soirs par le train de 17 h 14 depuis Cannon Street. Monsieur Saint-Clair a aujourd'hui trente-sept ans. C'est un homme modéré, un bon mari, un père attentif, et un homme apprécié de tous ceux qui le connaissent. Je dois ajouter que ses dettes, d'après ce que nous avons pu apprendre, ne dépassent pas 88,10 livres* cependant qu'il a à son crédit 220 livres à la banque Capital & Counties. Nous n'avons donc aucune raison de croire que des problèmes d'argent le préoccupent.

« Lundi dernier, monsieur Neville Saint-Clair est allé en ville un peu plus tôt que d'ordinaire, disant qu'il avait deux commissions importantes à faire. Il promit à son petit garçon de lui rapporter une boîte de cubes en bois. Par le plus grand des hasards, sa femme reçut un télégramme juste après le départ de son mari. Un petit paquet de valeur qu'elle attendait était arrivé aux bureaux de la compagnie de transports Aberdeen Shipping. Si vous connaissez bien Londres, vous saurez que ces bureaux se trouvent dans Fresno Street, qui donne sur Upper-Swandam Lane où vous m'avez trouvé ce soir. Madame Saint-Clair déjeuna, se rendit en ville, et fit quelques courses. À 16 h 35 très exactement, elle se trouvait dans Swandam Lane en route pour la gare. Me suivez-vous jusqu'ici ?

– C'est très clair.

– Si vous vous rappelez, il faisait très chaud lundi, et madame Saint-Clair marchait lentement en espérant trouver un taxi. Elle n'appréciait pas beaucoup le quartier dans lequel elle se trouvait. Alors qu'elle descendait ainsi Swandam Lane, elle entendit soudain un cri ou une exclamation. Elle fut stupéfaite de voir, selon elle, son mari la regarder d'une fenêtre du deuxième étage, et lui faire signe d'approcher. La fenêtre était ouverte, elle voyait très distinctement son visage qui lui semblait très inquiet. Il lui fit des signes frénétiques. Puis il disparut si soudainement qu'elle eut l'impression qu'une force irrésistible l'avait tiré par-derrière. Un détail la frappa immédiatement : bien que vêtu d'une veste sombre comme celle qu'il avait mise pour se rendre en ville, son mari n'avait ni col ni cravate.

« Persuadée que quelque chose n'allait pas, elle dévala les marches – car la maison n'était autre que celle qui abrite la fumerie d'opium où nous nous sommes retrouvés ce soir. Elle traversa la pièce de devant en courant et tenta de monter l'escalier qui menait au premier. Mais en bas de l'escalier, elle rencontra le gérant indien dont je vous ai déjà parlé. Il la repoussa et, avec l'aide d'un Danois qui lui sert d'assistant, il la repoussa dans la rue. Folle de peur et en proie à des doutes terribles, elle se précipita vers Fresno Street où elle eut la bonne fortune de tomber sur un groupe d'agents et un inspecteur de police qui s'apprêtaient à prendre leur service. L'inspecteur et les agents l'accompagnèrent vers la maison. Malgré la résistance obstinée du propriétaire, ils parvinrent à entrer dans la pièce où sa femme avait vu monsieur Saint-Clair pour la dernière fois. Il n'y était pas. Dans tout l'étage, il n'y avait qu'un mendiant d'une laideur inimaginable qui, semblait-il, y avait élu domicile. Lui et l'Indien jurèrent que personne d'autre n'avait séjourné dans la pièce de devant durant tout l'après-midi. Ils étaient tellement affirmatifs, que les policiers commençaient à croire que madame Saint-Clair avait été victime d'une hallucination. Soudain, en poussant un cri, elle se jeta sur une petite boîte en bois qui se trouvait sur la table et l'ouvrit. Elle contenait des cubes en bois de toutes les couleurs. C'était le jouet qu'il avait promis de rapporter.

«Cette découverte et l'embarras évident du mendiant firent comprendre à l'inspecteur que l'affaire était sérieuse. On fouilla consciencieusement toutes les pièces. Les résultats firent craindre un crime abominable. La pièce de devant était meublée comme un salon; elle menait vers une chambre qui donnait à l'arrière, sur les quais. Entre les quais et la fenêtre de la chambre se trouve un caniveau étroit qui est sec à marée basse mais qui se couvre à marée haute d'un mètre et demi d'eau. La fenêtre de la chambre est large, et s'ouvre par le bas. En examinant le rebord, on trouva des traces de sang. Des gouttes de sang furent également retrouvées sur le plancher de la chambre. On retrouva derrière un rideau du salon les vêtements de monsieur Neville Saint-Clair, à l'exception de son manteau. Il y avait ses bottes, ses chaussettes, son chapeau et sa montre. Il n'y avait pas de traces de violence sur les vêtements, mais il n'y avait pas d'autre trace de monsieur Neville Saint-Clair. Apparemment, il avait dû partir par la fenêtre car on ne découvrit aucune autre sortie. Les traces de sang laissaient peu d'espoir qu'il ait pu se sauver à la nage. La marée était au plus haut au moment de la tragédie.

« Quant aux deux comparses qui semblaient impliqués dans la disparition, l'Indien est connu des services de police. Cependant, selon le témoignage de madame Saint-Clair, il se trouvait au pied de l'escalier quelques secondes après l'apparition de son mari à la fenêtre. Il ne peut donc être qu'associé au crime. Il prétend tout ignorer de l'affaire. Il ne sait rien de la vie de Hugh Boone, son locataire, et ne peut expliquer la présence des vêtements du gentleman disparu.

« Voilà pour le témoignage du gérant indien. Le mendiant qui habite le deuxième étage de la fumerie d'opium est sans doute le dernier être humain à avoir contemplé monsieur Neville Saint-Clair. Il s'appelle Hugh Boone, et son visage horrible est connu de tous les hommes qui fréquentent le centre de Londres. C'est un mendiant professionnel, mais afin d'éviter des problèmes avec la police, il prétend vendre des allumettes. En descendant Threadneedle Street, sur la gauche, vous aurez remarqué un petit angle dans le mur. C'est là que cette créature s'installe tous les jours. Il s'assoit en tailleur, un petit tas d'allumettes sur les genoux. Le spectacle est tellement piteux qu'une petite pluie de charité descend dans la casquette de cuir graisseux qu'il pose sur le trottoir. J'ai observé le type plus d'une fois sans jamais penser que j'allais le rencontrer dans le cadre d'une enquête. J'ai été surpris de la récolte qu'il emmagasinait en peu de temps. Son apparence, voyez-vous, est tellement extraordinaire qu'on ne peut passer à côté sans le voir. Une tignasse de cheveux orange, un pâle visage défiguré par une horrible cicatrice. En se formant, la cicatrice a tiré sur le coin de sa lèvre supérieure. Il a entre autre un menton de boxeur et des yeux sombres et pénétrants qui contrastent singulièrement avec la couleur de ses cheveux. Tout en lui contribue à en faire un mendiant à part. Son humour, également, car il a toujours une réplique pour n'importe quelle réflexion lancée par un passant. C'est donc cet individu qui loue un appartement au-dessus de la fumerie d'opium. Il est probablement le dernier à avoir vu vivant l'homme que nous recherchons.

« C'est un invalide dans le sens qu'il boite, mais autrement il semble être un homme puissant et bien nourri. Je pense que votre expérience médicale confirmera, Watson, que la faiblesse d'une partie du corps est souvent compensée par une force exceptionnelle ailleurs.

– S'il vous plaît, poursuivez votre récit.

– À la vue du sang sur le rebord de la fenêtre, madame Saint-Clair s'était évanouie. Comme sa présence n'apportait rien aux recherches, la police la raccompagna chez elle. L'inspecteur Barton, qui fut chargé de l'enquête, fouilla attentivement tout l'immeuble sans rien trouver pour faire avancer l'affaire. Une erreur fut commise lors de l'arrestation de Boone. Au lieu de l'arrêter immédiatement, on laissa s'écouler un peu de temps pendant lequel il put s'entretenir avec son complice, l'Indien. Mais cette erreur fut rattrapée : on s'empara de lui et on le fouilla sans trouver d'indices pour l'incriminer. Certes, la manche de sa chemise était tachée de sang, mais il montra son majeur, coupé près de l'ongle. Il expliqua que le sang venait de là, et ajouta qu'il s'était tenu un moment devant la fenêtre, et que le sang pouvait aussi bien venir de son doigt. Il nia avec force avoir vu monsieur Neville Saint-Clair, et jura que la présence des vêtements dans son salon était pour lui un mystère autant que pour la police. Quant à l'affirmation de madame Saint-Clair disant qu'elle avait vu son mari à la fenêtre, il prétendit qu'elle était soit folle, soit rêveuse. On l'emmena au commissariat de police malgré ses protestations. L'inspecteur resta sur place en espérant que la marée basse apporterait de nouveaux indices.

« Ce qu'elle fit. On ne retrouva pas dans la boue ce qu'on redoutait le plus. Ce ne fut pas Neville Saint-Clair que la marée découvrit, mais son manteau. Et devinez ce qu'on trouva dans ses poches ?

– Je n'en ai pas la moindre idée.

– J'imagine bien que non. Chaque poche était remplie de pennies* et de half-pennies* : quatre cent vingt et un pennies, et deux cent soixante-dix half-pennies. Pas étonnant que le manteau n'ait pas été emporté par la marée. Mais un corps, c'est autre chose. Il y a beaucoup de courant entre le quai et la maison. On pouvait malheureusement imaginer que le manteau était resté sur place, alors que le corps avait été aspiré par le courant et emmené plus loin.

– Mais j'avais compris que les autres vêtements avaient été retrouvés dans le salon. Le corps était-il simplement habillé d'un manteau ?

– Non. Mais on peut imaginer un scénario qui colle à ces faits. Supposons que ce Boone fasse passer Neville Saint-Clair par la fenêtre d'où personne ne peut le voir. Que fait-il ensuite ? Il comprend immédiatement qu'il lui faut se débarrasser des vêtements qui peuvent le trahir. Il prend alors le manteau, puis, au moment de le jeter, comprend qu'il flottera au lieu de couler. Il dispose de peu de temps ; il entend déjà l'échauffourée en bas quand la femme tente de forcer le passage. Peut-être son complice l'Indien lui a-t-il déjà appris que la police remontait la rue. Il n'a pas un instant à perdre. Il se précipite vers la cache secrète où il dissimule le fruit de sa mendicité, et il remplit les poches du manteau de toutes les pièces de monnaie qu'il trouve afin de s'assurer qu'il coulera. Il le jette par la fenêtre, et aurait fait de même avec le reste des vêtements, mais il entend des pas en bas. Il a juste le temps de refermer la fenêtre quand la police entre.

– Cela semble crédible.

– En attendant mieux, prenons ce raisonnement comme hypothèse de départ. Boone, comme je l'ai dit, a été arrêté et amené au commissariat. On ne lui a trouvé aucun passé criminel. Il est connu depuis longtemps comme mendiant professionnel, cependant, sa vie paraît très calme. Voilà où nous en sommes. La question est de savoir ce que Neville Saint-Clair faisait dans la fumerie d'opium, ce qui lui y est arrivé, et où il est maintenant. Et quel rôle a joué Hugh Boone dans sa disparition. Je suis loin d'avoir trouvé les réponses. J'avoue que je ne me souviens d'aucune affaire aussi simple en apparence et qui soulève autant de difficultés à l'arrivée.

Pendant que Sherlock Holmes expliquait les détails de ces événements hors du commun, nous avancions au galop dans la banlieue de la capitale. Nous laissâmes les dernières zones urbaines derrière nous, et empruntâmes une route de campagne bordée de haies. Puis, nous traversâmes deux grands villages où brillaient encore quelques lumières derrière les vitres.

– Nous arrivons à Lee, dit mon compagnon. Nous avons traversé trois comtés différents pendant notre voyage. Le Middlesex d'abord, puis un coin du Surrey pour finir dans le Kent. Vous voyez cette lumière derrière les arbres ? C'est Les Cèdres. À côté de cette lampe, une femme attend, assise. Ses oreilles inquiètes ont déjà dû capter le bruit des sabots de notre cheval.

– Mais pourquoi ne menez-vous pas l'enquête à partir de Baker Street, demandai-je ?

– Parce qu'une partie de mon enquête doit être menée ici même. Madame Saint-Clair a gentiment mis deux chambres à ma disposition. Soyez rassuré, elle sera ravie d'accueillir un ami et collègue. J'appréhende de la retrouver, Watson, alors que je n'ai aucune nouvelle de son mari. Nous y sommes. Oh, là, oh, là !

Nous nous étions immobilisés devant une grande villa au centre d'un parc magnifique. Un écuyer s'était précipité pour tenir la tête du cheval. Je sautai à terre et suivis Holmes le long d'un chemin recouvert de gravier qui menait à la maison. Tandis que nous approchions, la porte d'entrée s'ouvrit en grand, et une petite femme blonde sortit. Elle était vêtue d'une sorte de mousseline de soie avec du tulle rose au cou et aux poignets. Sa silhouette soulignée par la lumière qui venait de l'entrée, elle attendait, une main sur la porte, l'autre levée dans un geste d'impatience. Son corps était légèrement penché, tête et épaules en avant, les yeux attentifs, la bouche entrouverte. Un point d'interrogation à elle seule.

– Alors? s'écria-t-elle. Alors?

Puis, voyant que nous étions deux, elle poussa un cri d'espoir qui se transforma en soupir de dépit quand mon compagnon secoua la tête et haussa les épaules.

– Vous n'avez pas de bonnes nouvelles?

– Non.

– Pas de mauvaises?

– Non plus.

– Dieu merci! Mais entrez donc. Vous devez être fatigués, la journée a été longue.

– Voici mon ami le docteur Watson. Il m'a été d'une aide précieuse plus d'une fois, et un heureux hasard m'a permis de l'amener ce soir pour qu'il participe à notre enquête.

– Je suis ravie de vous rencontrer, dit-elle en me serrant chaleureusement la main. Je suis sûre que vous me pardonnerez si notre accueil laisse à désirer. Vous comprendrez le terrible coup qui nous a frappés sans crier gare.

– Chère madame, répondis-je, je suis un vieux militaire, et même si je ne l'étais pas, je ne pense pas que des excuses soient nécessaires. Si je pouvais être d'une quelconque utilité à mon ami ou à vous, je serais réellement heureux.

–Alors, monsieur Holmes, dit la dame en nous précédant vers une salle à manger éclairée où un buffet froid nous attendait, j'aimerais beaucoup vous poser une ou deux questions très simples, auxquelles je souhaite aussi que vous répondiez très simplement.

–Bien sûr, madame.

–N'ayez pas peur de me heurter. Je ne suis ni hystérique ni du genre à m'évanouir. Je veux simplement entendre votre opinion la plus sincère.

–Concernant quoi?

–Du fond du cœur, croyez-vous que Neville soit encore en vie?

Sherlock Holmes sembla embarrassé par la question.

–Tout à fait sincèrement! répéta-t-elle.

Madame Saint-Clair était debout sur le tapis, son regard soutenant celui de Holmes, assis en arrière dans un fauteuil en rotin.

–Franchement, madame, je ne le crois pas.

–Vous croyez qu'il est mort?

–Oui.

–Assassiné?

– Je n'ai pas dit ça. Peut-être.

– Depuis quel jour est-il mort?

– Lundi.

– Dans ce cas, monsieur Holmes, je vous prie de m'expliquer comment se fait-il que j'ai reçu une lettre de lui aujourd'hui même.

Holmes se leva d'un coup, comme électrisé.

– Quoi? hurla-t-il.

– Oui, aujourd'hui.

Elle resta là, souriant, et brandit une petite feuille de papier.

– Puis-je la voir?

– Certainement.

Il la lui arracha presque des mains dans son empressement. Il la lissa sur la table, puis approcha une lampe et l'examina attentivement. J'avais quitté ma chaise et je regardais par-dessus son épaule. L'enveloppe était très ordinaire et portait le tampon de Gravesend avec la date du jour, ou plutôt de la veille puisqu'on avait largement dépassé minuit.

– L'écriture est peu soignée, murmura Holmes. Ce n'est certainement pas celle de votre mari?

– Non, mais à l'intérieur, si.

– Je vois aussi que celui qui a écrit l'adresse a dû se renseigner avant.

– Comment le savez-vous?

– Le nom, vous voyez, est écrit avec de l'encre noire qui a séché toute seule. Le reste est plutôt gris, ce qui montre qu'on a utilisé un buvard. Si on avait écrit tout d'un coup avant de se servir du buvard, l'encre serait d'un noir profond. L'homme a écrit le nom, puis il a fait une pause avant d'écrire l'adresse, ce qui veut dire qu'il ne la connaissait pas par cœur. Ce n'est, en effet, qu'un détail, mais l'important réside inéluctablement dans les détails. Maintenant, voyons la lettre! Ah! On y a joint quelque chose.

– Oui, il y avait une bague. Sa chevalière.

– Et vous êtes sûre que c'est l'écriture de votre mari.

– L'une de ses écritures.

– L'une?

– Son écriture quand il est pressé. Elle ne ressemble pas beaucoup à son écriture habituelle, mais je la connais bien.

– « Très chère, ne sois pas inquiète. Tout s'arrangera. Il y a une terrible erreur dont la rectification prendra un peu de temps. Attends-moi, sois patiente. Neville. » C'est écrit au crayon à papier sur la page de garde d'un livre de format in-octavo sans filigrane. Hum! Postée aujourd'hui à Gravesend par un homme dont le pouce est sale. Et l'enveloppe a été cachetée, si je ne me trompe, par un homme qui chiquait du tabac. Cependant, vous ne doutez pas qu'il s'agit de l'écriture de votre mari, madame?

– Pas du tout. Neville a écrit ces mots.

– Et ils ont été postés aujourd'hui à Gravesend. Eh bien, madame Saint-Clair, le ciel s'éclaircit, même si je ne suis pas sûr que le danger soit écarté.

– Mais il doit être en vie, monsieur Holmes.

– À moins que ce soit un faux ingénieux pour nous lancer sur une fausse piste. La bague ne prouve rien, on a pu la lui prendre.

– Non, non, c'est lui, c'est lui! C'est son écriture!

– Très bien. Cependant, il a pu écrire ce mot lundi, mais il n'a été posté qu'aujourd'hui.

– C'est possible.

– Beaucoup de choses ont pu se passer entre-temps.

– Ne me découragez pas, monsieur Holmes. Je sais qu'il va bien. Ce qu'il y a entre nous est tellement fort que je saurais s'il lui était arrivé malheur. Le jour de sa disparition, il s'était coupé dans la chambre alors que j'étais dans la salle à manger. Il n'empêche que je me suis précipitée à l'étage en sachant qu'il lui était arrivé malheur. Pensez-vous que je pourrais réagir à quelque chose de si minime et ne pas sentir sa mort?

–J'ai trop vécu pour ne pas savoir que l'intuition féminine vaut parfois toutes les conclusions d'un analyste logique. Avec cette lettre, vous semblez détenir une preuve pour soutenir votre opinion. Mais si votre mari est en vie et capable de vous écrire, pourquoi ne revient-il pas?

–Je ne sais pas. C'est inimaginable.

–Lundi, avant de partir, il n'a rien dit de spécial?

–Non.

–Étiez-vous surprise de le voir dans Swandam Lane?

–Complètement.

–La fenêtre était-elle ouverte?

–Oui.

–Alors, il aurait pu vous appeler.

–Il aurait pu.

–Alors qu'il n'a fait que pousser un cri incompréhensible?

–Oui.

–Que vous avez interprété comme un appel au secours?

–Oui. Il m'a fait des signes.

—Ce cri a pu être un cri de surprise. L'étonnement de vous voir là a pu l'amener à lever les bras.

—C'est possible.

—Et vous pensez qu'on l'a tiré par-derrière?

—Il a disparu tout d'un coup.

—Il a pu faire un bond en arrière. Vous n'avez vu personne d'autre dans la pièce?

—Non, mais cet affreux mendiant avoue y avoir été, et l'Indien était au pied de l'escalier.

—C'est vrai. Votre mari, pour autant que vous ayez pu le voir, avait ses habits habituels?

—Oui, mais sans col ni cravate. J'ai clairement vu son cou.

—Vous a-t-il jamais parlé de Swandam Lane?

—Jamais.

—A-t-il jamais montré de signes laissant penser qu'il consommait de l'opium?

—Jamais.

—Merci, madame Saint-Clair. J'ai éclairci les points principaux qui m'intriguaient. À présent, nous allons manger un peu, puis nous coucher. Demain risque d'être une journée bien chargée.

Une grande chambre confortable à deux lits avait été préparée à notre intention, et je me retrouvai vite entre les draps, fatigué de ma soirée d'aventures. Sherlock Holmes, cependant, était un homme qui, devant une énigme dont il n'avait pas la solution, pouvait passer des jours, voire une semaine, sans sommeil. Il tournait et retournait le problème dans sa tête, remettait les faits dans l'ordre, l'examinait sous tous les angles possibles. Ensuite, soit il avait résolu l'énigme, soit il était convaincu qu'il ne disposait pas d'éléments suffisants pour le faire. Je compris vite qu'il avait l'intention de passer la nuit à réfléchir. Il enleva sa veste et son gilet, s'emmitoufla dans une robe de chambre bleue, puis fit le tour de la chambre pour réunir les oreillers de son lit et les coussins du canapé. Il se confectionna alors une sorte de divan, et s'y installa en tailleur avec du tabac et une boîte d'allumettes posés devant lui. Grâce à la lumière tamisée de la lampe, je pouvais le voir assis, une vieille pipe en bois entre les lèvres, les yeux fixant un coin du plafond. Une fumée bleue montait, Holmes était silencieux, immobile, et la lumière soulignait ses traits forts, taillés à la serpe. Il était ainsi quand je m'endormis, et je le retrouvai dans la même position à mon réveil. Une exclamation me sortit du sommeil. Le soleil d'été inondait la chambre. Holmes avait sa pipe encore entre les lèvres, la fumée continuait de monter, et la pièce était remplie d'un brouillard de tabac. Il ne restait rien du tabac que j'avais vu la veille.

– Réveillé, Watson ? me demanda-t-il.

– Oui.

– D'accord pour un tour en calèche ?

– Bien sûr.

– Alors habillez-vous. Personne n'est encore debout, mais je sais où dort l'écuyer, et nous aurons la calèche très vite.

Il gloussait dans sa barbe tout en parlant, ses yeux brillaient ; c'était un homme tout à fait différent du sombre penseur de la veille.

En m'habillant, je regardai ma montre. Pas étonnant que personne ne soit debout. Il était quatre heures vingt-cinq. J'avais à peine fini quand Holmes revint m'apprendre que l'écuyer nous préparait le cheval.

– Je voudrais vérifier une petite théorie, dit-il en mettant ses bottes. Je crois, Watson, que vous vous trouvez devant l'un des plus grands imbéciles d'Europe. Je mérite qu'on me botte l'arrière-train d'ici à Charing-Cross. Mais je crois avoir trouvé la clef de l'énigme à présent.

– Et où est-elle ? demandai-je en souriant.

—Dans la salle de bains, répondit-il. Non, je ne plaisante pas, poursuivit-il en voyant mon expression incrédule. J'en viens, je l'y ai prise, et je l'ai mise dans ce sac Gladstone*. Venez, mon ami, allons voir si elle ouvre la porte.

Nous descendîmes aussi silencieusement que possible, et sortîmes dans la lumière fraîche du matin. L'écuyer, à demi habillé, tenait notre cheval et la calèche devant. Nous montâmes et prîmes la direction de Londres. Quelques voitures de paysans étaient déjà en chemin vers la capitale pour y livrer des légumes, mais les villas de chaque côté de la route étaient aussi silencieuses et sans vie que dans un rêve.

—En plusieurs points, cette affaire s'est montrée tout à fait particulière, dit Holmes en poussant le cheval au galop. J'avoue que j'ai été myope comme une taupe, mais mieux vaut apprendre la sagesse tard que jamais.

En ville, les lève-tôt commençaient juste à regarder d'un œil endormi par leur fenêtre. Nous traversâmes un coin du Surrey, prîmes Waterloo Bridge Road et franchîmes le fleuve. Dans Wellington Street, nous tournâmes à droite pour nous retrouver dans Bow Street. Sherlock Holmes était bien connu des forces de police, et les deux agents devant le commissariat le saluèrent.

–Qui est de garde? demanda Holmes.

–L'inspecteur Bradstreet, monsieur.

–Ah, Bradstreet, comment allez-vous?

Un officier corpulent descendait le couloir dallé à notre rencontre. Il portait un képi et une veste large.

–J'aimerais avoir une petite conversation avec vous, Bradstreet.

–Bien sûr, monsieur Holmes. Venez dans mon bureau.

C'était une petite pièce avec un grand agenda posé sur la table, et un téléphone fixé au mur. L'inspecteur prit place derrière la table.

–Que puis-je faire pour vous, monsieur Holmes?

–Je viens vous voir à propos de ce mendiant qui est accusé d'avoir participé à la disparition de monsieur Neville Saint-Clair, de Lee.

–Oui, on l'a amené ici et gardé en attendant la suite de l'enquête.

–C'est ce qu'on m'a dit. Vous l'avez ici?

–Dans sa cellule.

–Est-il calme?

– Oh, il ne nous encombre pas. Mais c'est un sale individu.

– Sale ?

– Oui, on a du mal à lui faire se laver ne serait-ce que les mains. Son visage est noir comme du charbon. Une fois qu'on aura décidé quoi en faire, il aura droit à un vrai bain de prison. Je pense que si vous le voyez, vous conviendrez qu'il en a grandement besoin.

– J'aimerais beaucoup le voir.

– Vraiment ? Rien de plus facile. Venez par ici. Vous pouvez laissez votre sac.

– Non, je crois que je vais le garder.

– Très bien. Par ici, s'il vous plaît.

Il nous précéda le long d'un passage, ouvrit une porte barricadée, descendit un escalier en colimaçon, et déboucha dans un couloir aux murs blanchis sur lequel s'ouvrait une succession de portes.

– C'est la troisième sur la droite, dit l'inspecteur. La voici !

Il fit glisser un panneau de bois dans la moitié supérieure de la porte et regarda par l'ouverture.

– Il dort, dit le policier. On le voit très bien.

Nous nous approchâmes du judas. Le prisonnier était allongé et nous faisait face. Il dormait profondément, sa respiration était lente et paisible. C'était un homme d'âge moyen, habillé de manière fruste comme le voulait son métier. On voyait sa chemise colorée à travers les fentes de sa veste. Comme l'inspecteur l'avait dit, il était très sale, mais la crasse qui couvrait son visage n'arrivait pas à en dissimuler la laideur repoussante. Le large tracé d'une ancienne cicatrice courait d'un œil jusqu'au menton. La chair cicatrisée, en se contractant, avait fait remonter un coin de sa lèvre pour révéler trois dents. Il donnait l'impression de grogner comme un chien. Ses cheveux roux feu descendaient bas sur son front et cachaient ses yeux.

– Beau bébé, n'est-ce pas? demanda l'inspecteur.

– Il a certainement besoin d'un bain, fit remarquer Holmes. Je m'étais dit que ce serait la cas, et je me suis donc permis d'apporter les outils.

Tout en parlant, il ouvrit le sac de chez Gladstone et, à mon grand étonnement, sortit une énorme éponge de toilette.

– Ha! ha! Vous êtes drôle, vous, gloussa l'inspecteur.

– Maintenant, si vous aviez la gentillesse d'ouvrir doucement la porte, on va tenter d'en faire un citoyen un peu plus respectable.

– Eh bien, pourquoi pas ? dit l'inspecteur. Il est vrai qu'il fait tache dans nos jolies cellules de Bow Street.

Il inséra sa clef dans la serrure, et nous entrâmes sur la pointe des pieds. Le dormeur se retourna à moitié, puis s'installa de nouveau dans un sommeil profond. Holmes s'inclina devant la cruche à eau, mouilla son éponge, puis la frotta vigoureusement sur le visage du prisonnier.

– Permettez-moi de vous présenter monsieur Neville Saint-Clair, de Lee, dans le comté de Kent, cria-t-il.

Je n'ai jamais, de ma vie, contemplé une chose pareille. Le visage de l'homme se détacha comme de l'écorce tombant d'un tronc d'arbre. Disparu le hâle fruste ! Disparue aussi l'affreuse cicatrice qui le traversait pour tordre la lèvre et donner cette impression de grognement de bête ! Avec un mouvement de la main, Holmes fit tomber les cheveux roux. On se retrouva devant un homme pâle, au visage triste et à la peau lisse. Il s'assit sur le lit, se frotta les yeux et regarda autour de lui d'un air perdu. Puis, soudain, il comprit qu'il venait d'être démasqué. Il poussa un cri et se jeta sur son oreiller.

– Juste ciel ! s'exclama l'inspecteur. C'est en effet le disparu. Je le reconnais d'après sa photo.

Le prisonnier nous regarda avec l'air fou d'un homme qui s'abandonne à son destin.

– Ainsi soit-il, dit-il. De quoi m'accusez-vous ?

– D'avoir fait disparaître monsieur Neville Saint… Mais non, on ne peut pas vous accuser de ça, à moins de plaider une tentative de suicide, dit l'inspecteur avec un sourire. Eh bien, ça fait vingt ans que je fais ce métier, mais ce cas, c'est vraiment le pompon !

– Si je suis Neville Saint-Clair, il est évident qu'aucun crime n'a été commis, et que je suis donc illégalement détenu.

– Pas de crime, mais une terrible erreur a été commise, dit Holmes. Vous auriez mieux fait d'avoir confiance en votre femme.

– Il ne s'agissait pas de ma femme, mais de mes enfants, grommela le prisonnier. Que Dieu m'en soit témoin, je ne voulais pas qu'ils aient honte de leur père. Mon Dieu ! Quelle affreuse vérité !. Qu'est-ce que je peux faire ?

Sherlock Holmes s'assit à ses côtés sur le lit de camp et lui tapota gentiment l'épaule.

– Si vous laissez la justice s'en dépatouiller, vous ne pouvez guère éviter la publicité, dit-il. D'un autre côté, si vous parvenez à convaincre les autorités policières qu'elles n'ont aucune charge contre vous, je ne vois pas pourquoi les détails de cette affaire éclateraient au grand jour. Je suis sûr que l'inspecteur Bradstreet serait heureux de prendre votre déposition et de la transmettre aux autorités compétentes. Dans ce cas, il n'y aurait même jamais de procès.

– Que Dieu vous bénisse, s'écria le prisonnier avec passion. J'aurais enduré la prison, oui, même la peine de mort, plutôt que de dévoiler mon misérable secret à mes enfants.

«Vous êtes les premiers à entendre mon histoire : mon père était instituteur à Chesterfield où j'ai reçu une excellente éducation. Dans ma jeunesse j'ai voyagé, je suis monté sur les planches, avant de devenir journaliste pour un quotidien du soir à Londres. Un jour, mon rédacteur en chef a commandé une série d'articles sur la mendicité dans la capitale. J'ai proposé de les écrire. Voilà le début de toutes mes aventures. La seule manière d'obtenir toute l'information pour mes articles était de devenir un mendiant amateur. Lors de mon passage au théâtre, j'avais appris toutes les techniques de maquillage, et je jouissais d'une petite réputation en coulisses. J'ai alors mis à profit tout ce que j'avais appris. Je me suis teint le visage, et afin de me rendre aussi piteux que possible, j'ai fabriqué une bonne cicatrice et j'ai fait remonter un coin de ma lèvre à l'aide d'un pansement couleur chair. Avec des cheveux roux et des habits appropriés, je me suis posté dans l'une des rues les plus passantes du centre-ville. J'étais censé vendre des allumettes, mais en fait, je mendiais. J'y suis resté pendant sept heures. Quand je suis rentré chez moi, le soir, j'ai découvert à ma grande surprise que j'avais gagné vingt-six shillings* et quatre pence.

« J'ai écrit mes articles, et je n'y ai plus pensé. Mais quelque temps plus tard, je me suis porté garant pour un ami, et le créancier s'est retourné contre moi pour la somme de vingt-cinq livres. Je ne savais absolument pas comment réunir cette somme. Soudain, j'ai eu une idée. J'ai demandé un délai de quinze jours au créancier, j'ai posé un congé chez mes employeurs, et j'ai passé le temps à mendier, déguisé comme la fois d'avant. En dix jours, j'avais ramassé assez d'argent pour payer la dette.

« Vous pouvez imaginer à quel point il m'était difficile de reprendre un travail dur, payé deux livres par semaine, alors que je me savais capable d'en gagner autant dans la journée. Il me suffisait de me maquiller, de poser ma casquette sur le sol, et d'attendre. La lutte entre ma fierté et l'argent a été longue, mais ce dernier a fini par l'emporter, et j'ai arrêté le métier de journaliste. Je m'installais tous les jours dans le coin que j'avais choisi. Mon visage dévasté inspirait pitié, et je me remplissait les poches de pièces de monnaie. Un seul homme connaissait mon secret : le gérant d'un bouiboui où je logeais dans Swandam Lane. Tous les matins, je sortais déguisé en mendiant, et tous les soirs, je me transformais en citadin soigné. Ce type, un Indien, recevait un bon loyer pour le logement, ce qui me permettait de lui faire confiance.

« Je découvris assez vite que je faisais de sérieuses économies. Je ne veux pas dire que tous les mendiants de Londres gagnent sept cents livres par an – ce qui est un peu moins que mes gains moyens – mais j'avais au départ un certain nombre d'avantages. Ma capacité de jouer un rôle, pour commencer, et également mon sens de la repartie, qui s'est amélioré avec le temps et qui m'a permis de jouir d'une certaine réputation en ville. Toute la journée, un flot de pennies, parfois aussi des pièces d'argent, tombaient dans ma casquette. Si je ne gagnais pas deux livres, la journée avait vraiment été mauvaise.

« Mes économies firent que je devins ambitieux. J'achetai une maison à la campagne, et je finis même par me marier, sans que personne ne soupçonne mon véritable métier. Ma chère femme savait que j'avais des affaires en ville, mais elle ne savait pas lesquelles.

« Lundi dernier, après ma journée, j'étais en train de me changer dans la pièce au-dessus de la fumerie d'opium lorsque je regardai par la fenêtre. Imaginez ma surprise et ma panique en voyant ma femme, debout dans la rue, qui me regardait. J'ai poussé un cri d'effroi et j'ai tenté de dissimuler mon visage avec mes bras. Puis j'ai couru retrouver mon complice, l'Indien, pour lui demander d'empêcher quiconque de monter. J'ai entendu sa voix en bas, mais je savais qu'elle ne pouvait pas venir jusqu'à moi. Je me suis rapidement déshabillé pour me vêtir de mon habit de mendiant, je me suis maquillé et coiffé de ma perruque. Même ma femme ne me reconnaîtrait pas sous un tel déguisement. Cependant, j'ai eu peur qu'on fouille la chambre et que mes vêtements me trahissent. J'ai ouvert la fenêtre, faisant saigner dans ma hâte une blessure faite le matin même dans ma chambre à coucher. Puis j'ai attrapé mon manteau qui était lesté des pièces que je venais d'y transférer depuis le sac en cuir dans lequel je range ma récolte. Je l'ai lancé par la fenêtre, et il a sombré dans la Tamise. J'avais l'intention d'y faire suivre les autres vêtements, mais à cet instant une foule d'agents de police a monté l'escalier. Quelques minutes plus tard, quel ne fut pas mon soulagement de constater qu'au lieu d'être identifié comme Neville Saint-Clair, j'étais accusé de son meurtre !

« Je ne sais pas ce que je pourrais ajouter de plus. J'étais décidé à garder mon déguisement le plus longtemps possible, d'où mon refus de me laver le visage. Sachant que ma femme serait terriblement inquiète, j'ai donné à l'Indien ma bague ainsi qu'un mot griffonné rapidement alors que les agents de police regardaient ailleurs. Le mot lui disait de ne pas avoir peur.

— Cette lettre ne lui est parvenue qu'hier, dit Holmes.

— Mon Dieu ! Quelle semaine elle a dû passer !

— L'Indien était surveillé par la police, dit l'inspecteur Bradstreet. Je conçois qu'il ne lui ait pas été facile de poster la lettre sans être vu. Il l'a probablement fait passer par un de ses clients matelot qui l'a oubliée pendant quelques jours.

— C'est ça, dit Holmes en montrant son approbation d'un hochement de tête. J'en suis sûr. Mais ne vous a-t-on jamais arrêté pour mendicité ?

—Plusieurs fois, seulement j'avais largement de quoi payer l'amende.

—Cependant, tout cela doit s'arrêter maintenant, dit Bradstreet. Si la police doit passer l'éponge, Hugh Boone doit également disparaître.

—Je l'ai juré de la manière la plus solennelle.

—Dans ce cas, je crois pouvoir affirmer que l'affaire n'ira pas plus loin. Mais attention! si on vous retrouve, toute la vérité sera révélée. Je pense, monsieur Holmes, que nous vous devons beaucoup d'avoir élucidé cette énigme. J'aimerais savoir comment vous parvenez à de tels résultats.

—Dans cette affaire précise, dit mon ami, je me suis assis sur des coussins et j'ai fumé. Il me semble, Watson, qu'en reprenant la calèche jusqu'à Baker Street, nous arriverons juste à temps pour le petit-déjeuner.

LEXIQUE

Danse de Saint-Guy (p. 73) : maladie nerveuse qui se traduit par des mouvements convulsifs violents.

D. D. (p. 93) : abréviation pour *Doctor of divinity*, docteur en théologie, la science des religions.

De Quincey (p. 93) : Thomas De Quincey (1785-1859), écrivain britannique, auteur notamment d'un essai intitulé *Confessions d'un Anglais amateur d'opium*.

Femme (p. 94) : le docteur Watson s'est marié et ne vit plus avec Sherlock Holmes.

George Sand (p. 52) : écrivain français (1804-1876). Auteur notamment de *La Mare au diable*, *La Petite Fadette*, *François le Champi*.

Gladstone (p. 125) : grand sac allongé en cuir, muni de charnières et qui s'ouvre par le dessus.

Gustave Flaubert (p. 52) : écrivain français (1821-1880). Auteur notamment de *Madame Bovary*, *L'Éducation sentimentale*, *Salammbô*.

Half-penny (p. 137) : un demi-penny.

Laudanum (p. 93) : préparation chimique à base d'alcool et d'opium.

Livre (p. 15 et p. 105) : monnaie anglaise.

Mile (p. 75 et 103) : mesure de longueur anglo-saxonne. Le mile vaut 1 609 mètres.

Napoléon (p. 43) : pièce d'or.

Penny (p. 112) : unité monétaire. Le penny valait, à l'époque de Sherlock Holmes, 1/240 de la livre.

Policemen (p. 104) : policiers.

Prêteur sur gages (p. 16) : personne qui prête de l'argent, en échange d'un objet quelconque, laissé en dépôt.

Sarasate (p. 32) : célèbre violoniste espagnol (1844-1908).

Shilling (p. 133) : unité monétaire, le shilling valait, à l'époque de Sherlock Holmes, 1/20 de la livre.

Sovereign (p. 73) : ancienne pièce d'or, qui valait 20 shillings.

Table de jeu (p. 21) : petite table destinée aux joueurs de cartes.

TABLE DES MATIÈRES

Dans la collection MiLVN PÔCHe
JUNIOR